Classici Gre

Sallustio

LA CONGIURA
DI CATILINA

a cura di Giancarlo Pontiggia

[annotazione manoscritta: gennaio MMIII — Helen, con sincera amicizia Alessandro]

OSCAR MONDADORI

© 1992 Arnoldo Mondadori Editore S.p.A., Milano

I edizione Oscar classici greci e latini ottobre 1992

ISBN 88-04-36166-2

Questo volume è stato stampato
presso Mondadori Printing S.p.A.
Stabilimento Nuova Stampa - Cles (TN)
Stampato in Italia - Printed in Italy

Ristampe:

6   7   8   9   10   11   12   13

2002   2003   2004

www.mondadori.com/libri

INTRODUZIONE

Vita di Sallustio

Sulla vita di Sallustio disponiamo di poche notizie, a volte dubbie, spesso di fonte ostile. Era nato ad Amiterno, una città della Sabina orientale vicino all'odierna Aquila, nell'autunno dell'86 a.c. La famiglia era plebea ma agiata; l'epoca era quella, sanguinosissima, della guerra civile tra mariani e sillani; la regione, montuosa, selvatica, aspra, era abitata da una popolazione semplice, devota, tradizionalista, austera nei costumi, legata a ritmi di vita ancora arcaici. Sabino era stato, nel secolo precedente, Catone, grande moralizzatore della vita romana; e sabino era Terenzio Varrone, contemporaneo, sebbene più anziano, di Sallustio, primo fra i latini a raccogliere sistematicamente il grande patrimonio storico-antiquario delle popolazioni italiche[1]. Il concetto di antichità, nei suoi termini temporali e morali, per questi uomini venuti da una provincia severa e selvosa, non era solo un valore ma un sentimento, un possesso familiare; ed era destinato sempre più a divenire, come spesso accade in ogni civiltà ricca, colta e lussuosa, un deposito sacro di immagini, di simboli, di riti[2]. L'ispirazione etica, l'impostazione moralistica, la lingua arcaiz-

---

[1] Le *Antiquitates rerum humanarum ac divinarum*, vasta *summa* di sapere in quarantuno libri che si apriva con una trattazione filosofica sul tema dell'immortalità dell'anima, erano state pubblicate tra il 56 e il 47 a.C. Del 43, all'epoca in cui Sallustio compone la sua prima opera, è il *De vita populi romani*, grande affresco dell'antica Roma, di cui erano descritti i culti e le istituzioni. Posteriore al 45 sono le *Imagines*, il cui titolo faceva riferimento alle maschere funebri degli antenati esposte, come spiriti tutelari, negli atri delle dimore delle grandi famiglie romane. Successiva al 43 è ancora l'opera *De gente populi romani*.
[2] Il mito della Roma primitiva ispirerà, durante l'età augustea, poeti come Virgilio, Properzio, Tibullo e storici come Tito Livio.

zante delle opere di Sallustio deriva anche da queste origini fiere e selvatiche: niente, in lui, della signorile, sovrana, scettica urbanità di Giulio Cesare, al cui fascino Sallustio non seppe, come i suoi contemporanei, sottrarsi, e dal quale pure doveva sentirsi così distante.

Non sappiamo quando giunse a Roma, meta obbligata per chi ambiva allora a una carriera; quasi certamente in giovane età, per completare gli studi. Sapeva di poter contare solo su se stesso: le grandi famiglie romane guardavano con boriosa diffidenza a chi non apparteneva alla ristretta élite della nobiltà patrizio-plebea[3]. È lo stesso Sallustio, nel proemio alla *Congiura di Catilina*, a parlarci delle sue ambizioni giovanili: era stato attratto dalla *honoris cupido*[4], che tanti altri giovani cuori aveva infiammato in quel tempo confuso e febbrile. E infatti nel 52, come tribuno della plebe, si distingue per le violente campagne contro gli ottimati e il Senato, forse mescolato alla schiera insolente e faziosa dei clodiani, che giravano spada in pugno per la città e minacciavano i giudici durante il processo a Milone. Ma altre fonti[5] ci parlano di un altro Sallustio: autore di un poema didascalico intitolato *Empedoclea*, nel quale venivano esposte le dottrine naturalistico-religiose del grande filosofo di Agrigento; seguace in gioventù del circolo neopitagorico di Nigidio Figulo[6], dove si affrontavano i temi della metempsicosi e dei grandi cicli astrali. Se tutte queste notizie fossero vere, ci troveremmo di fronte a un giovane provinciale inurbato a Roma negli anni Sessanta e Cinquanta, ancora in cerca di un'identità, oscuramente diviso tra diverse pulsioni: da una parte i rostri assolati del Foro, da cui incitare con fiammante e irresponsabile demagogia la folla; dall'altra le sale ombrose dove si celebrano riti minuziosi e segreti. Ma tutta la

---

[3] Come testimonia lo stesso *De coniuratione Catilinae*. Per il concetto di *nobilitas* vedi le note nn. 2 V e 6 XVII in fondo al volume.

[4] *De coniuratione Catilinae* III, 5.

[5] Una lettera di Cicerone del febbraio 54 (*Ad Quintum fratrem* II, 9) e l'*Invectiva* dello Pseudo Cicerone: ma il secondo testo, che pure Quintiliano cita come autentico, è molto probabilmente un falso di età augustea, mentre il Sallustio a cui allude Cicerone potrebbe essere solo un omonimo del futuro storico.

[6] Nigidio aveva fama di mago, di astrologo, di matematico, e forse fantasticava di misteriose palingenesi sociali, tanto da essere di lì a poco costretto all'esilio da Cesare; le sue opere presentavano, a detta di Gellio (*Noctes atticae* XIX, 14, 3), un carattere iniziatico e segreto, ed erano poco intelligibili a causa della loro estrema sottigliezza.

sua biografia, al pari della sua prosa brusca e disarmonica, non è forse continuamente percorsa da strappi e da lacerazioni, da oscure, insanabili contraddizioni? E saremmo tentati di pensare che solo un uomo come Sallustio, forse, poteva ritrarre con una tale profonda potenza d'indagine un *monstrum* di grandiosi vizi e di pericolose virtù come Catilina. In Sallustio traspare l'irrequietudine di una generazione (la stessa a cui apparteneva Catullo) che ha bisogno di esperienze intense per sentirsi vivere; e inutilmente Cicerone invoca le virtù della moderazione e dell'equilibrio: i suoi miti sono troppo letterari, troppo intimamente aristocratici per vincere la resistenza dei tempi.

Sui fatti tra il 52 e la morte di Cesare siamo più informati. Già sorpreso in adulterio con Fausta, moglie di Milone, umiliato dalla frusta dei servi e liberato solo dopo il pagamento di una multa pecuniaria[7], Sallustio nel 50 viene espulso dal Senato per indegnità morale[8]; e qui forse si chiuderebbe la sua carriera politica, se non scoppiasse improvvisa ma ormai inevitabile la guerra civile; Sallustio, ed era anche una scelta obbligata dati i suoi precedenti con il Senato, segue le sorti di Cesare. Nel 49 è inviato in Illirico contro i pompeiani, ma è sconfitto; l'anno successivo è reintegrato in Senato; nel 47, spedito in Campania per sedare l'ammutinamento di due legioni, fallisce la missione e per poco non è ucciso; nel 46, pretore durante la campagna d'Africa, toglie ai pompeiani l'isola di Cercina e riesce a rifornire di frumento l'esercito di Cesare ormai in difficoltà. Nominato governatore dell'*Africa Nova*, esercita la carica con disinvolta rapacità: processato per concussione al ritorno in Italia, è salvato dall'intervento del suo potente patrono. Gli enormi profitti illecitamente accumulati gli consentono di acquistare quei fastosi giardini fra il Pincio e il Quirinale che da lui prenderanno il nome di *Horti Sallustiani* (ma è possibile che il loro splendore fosse dovuto all'opera dei discendenti).

Ci chiediamo cosa sarebbe stato di Sallustio se Cesare non fosse stato assassinato: avrebbe continuato l'attività politica? Tutto lo fa supporre, anche se il suo nome era ormai screditato. Ma la rovina del suo protettore lo costringe a ritirarsi definitivamente a vita privata nei suoi magnifici possedimenti: è qui che si dedica all'attività

---

[7] La notizia si trova in Gellio, *Noctes atticae* XVII, 18.
[8] Dione Cassio, *Storia romana* XL, 63.

storiografica, componendo nel giro di pochi anni due prodigiose monografie (a noi integralmente pervenute[9]) più un'opera annalistica intitolata *Historiae*[10], di cui ci sono giunti solo scarsi frammenti. Morì intorno al 36-35. Gli vennero successivamente attribuite una *Invectiva in Ciceronem* (ambientata nel 54) e due *Epistulae ad Caesarem senem de republica*: ma tutti e tre questi testi appaiono dubbi, con ogni probabilità esercitazioni retoriche di scuola imperiale, anche se molti studiosi ritornano periodicamente a rivendicarne l'autenticità.

Durante una furibonda guerra civile

Sallustio scrive il *De coniuratione Catilinae* fra il 43 e il 42 a.C., più o meno nello stesso periodo in cui Virgilio si accinge a comporre la prima delle sue grandi opere, le *Bucoliche*: coincidenza fortuita, ma capace di illuminare per contrasto il passaggio da un'età all'altra, di indicare due modi differenti di intendere la vita e la cultura. Poiché Virgilio troverà presto il suo *deus*, Ottaviano Augusto, cantato nella prima delle sue dieci egloghe come una divinità domestica, un nume tutelare a cui bruciare ogni mese, come si faceva con gli dei lari, incenso e profumi. Sallustio, invece, ha perduto da poco il suo protettore, Giulio Cesare, grazie al quale aveva iniziato la carriera politica e beneficiato di numerosi favori. A dire il vero la situazione economica e sociale sembrava a tutto vantaggio di Sallustio, che godeva di grandi ricchezze e di una splendida villa nel cuore della capitale dell'impero; Virgilio, al contrario, spossessato del suo unico poderetto mantovano dai veterani di Ottaviano, recuperava a stento quello che era già suo e si recava per la prima volta a Roma dalla sua amata Gallia. Sallustio era stato un politico forse eccessivo e imprudente, sicuramente non meno brutale e fazioso di altri, coinvolto in amori illeciti e in ancor meno onorevoli processi; Virgilio resterà fino alla morte un uomo schivo e timido, umbratile e riservato. Forse anche per questo osserva la guerra civile che si sta com-

---

[9] Il *De coniuratione Catilinae*, composto fra il 43 e il 42; il *Bellum Iugurthinum*, scritto fra il 42 e il 41.
[10] Composte a cominciare dal 39, si proponevano di narrare anno per anno le vicende della repubblica romana dalla morte di Silla (78 a.C.) fino alla congiura di Catilina (63 a.C.); a causa della morte, restarono interrotte all'anno 66.

battendo nelle campagne d'Italia con occhio favoloso e poetico: nasce in questi anni il mito arcadico, attraverso una contaminazione di paesaggi padani, siculi e greci. Sallustio si impone invece una prospettiva etico-politica, un metodo razionale di indagine: vuole riflettere sulle origini di quelle guerre furiose, trovarne le cause. Mentre Virgilio sogna la pace e la invoca, Sallustio rievoca un'altra guerra, un altro momento cruciale della storia romana: la congiura di Catilina. Quei soldati che invadono contemporaneamente le irreali, tenui, malinconiche valli d'Arcadia come le molto reali e molto ricche città d'Italia, testimoniano anzitutto di una situazione ormai insostenibile sul piano dell'immaginario collettivo: l'impero romano sembrava fallire proprio in quel programma di giustizia e di equilibrio istituzionale teorizzato con forza nell'ultimo secolo[11].

Dai tempi della guerra sociale (90-88 a.C.) l'Italia era divenuta teatro di scontri armati: nessuno aveva più fiducia nelle istituzioni politiche; dappertutto terre espropriate e saccheggiate, romani contro romani, alleanze politiche confuse e sospette, delazioni, proscrizioni. Non potremmo leggere il libro di Sallustio, che pure è un'opera storica su un argomento passato, senza tener presente il contesto in cui viene scritto e dal quale sorge. Ma come Virgilio trasporta quei soldati in un'irreale e mitica regione, Sallustio trasporta il suo racconto storico in un'altra regione, morale e filosofica, dalle cui alte e solenni torri osservare la storia, le sue passioni, i suoi tormenti, le sue violenze.

Un proemio filosofico

Il *De coniuratione Catilinae* esordisce infatti con un proemio che occupa i primi quattro capitoli dell'opera; un proemio analogo aprirà più tardi il *Bellum Iugurthinum*. Entrambi presentano dei caratteri comuni, ma il secondo è più ideologico, più oggettivo, il primo più autobiografico, vario e mosso, come se l'autore si accingesse, emozionato, a un'impresa di cui non conosce ancora tutti i confini.

Già gli antichi discussero sull'opportunità di questi proemi, chiedendosi quale fosse il loro legame con la narrazione storica vera e propria. Quintiliano (*Institutio oratoria* III, 8, 9), con la severità

---

11 Per questo concetto vedi nota n. 2 IX in fondo al volume.

puntigliosa di un grammatico, osservò che «*Sallustius in bello Iugur-*
thino et Catilinae nihil ad historiam pertinentibus principiis orsus
est[12]». Ma la ragione di questo inappellabile giudizio risiedeva nella
cultura retorica del suo autore, secondo il quale un proemio di carattere filosofico-dimostrativo non poteva accordarsi al genere storico. Per uno dei tanti paradossi della storia, furono proprio questi
proemi a favorire la trasmissione dei due testi in età medievale: i
lettori cristiani li interpretarono come una sorta di trattati morali,
apprezzandone l'alto contenuto etico: anche Dante, nel *De monar-*
chia, ne riecheggiò alcuni spunti. Ma noi ci chiediamo se Sallustio,
in queste pagine tese e intense, volesse solo giustificare di fronte al
lettore romano la propria decisione di abbandonare la vita civile e
di dedicarsi all'attività storiografica, riscattando un passato politico
ambiguo e ponendo alcuni problemi di metodo (ricerca della verità,
imparzialità dello storico); o se invece esistesse una ragione più profonda, un legame più urgente fra premessa filosofica e narrazione
storica.

Sallustio ripropone una visione dualistica della natura umana che
era stata di Platone: l'anima ci rende simili agli dei, e ci consente di
compiere imprese nobili e gloriose; il corpo ci degrada al livello della vita animale. Un'eroica tensione anima subito questa pagina di
scultorea solennità: ogni uomo deve scegliere il proprio destino, decidere ciò che vuole essere. Ma l'impostazione metafisica si traduce
immediatamente in impegno morale e civile: la virtù deve tradursi
in utilità pubblica, la sapienza in giustizia. Sallustio non sembra credere negli dei: forse la sua ricerca religiosa si era spenta al tempo di
Nigidio; le sue stelle, il suo cielo, sono una metafora della vita etica,
una spinta al dovere assoluto. Platone serve per definire un progetto
to di vita, per esaltare i valori dello spirito e della ricerca intellettuale, ma anche per stabilire un criterio di giudizio (ciò che è buono, utile, glorioso). Non è senza significato che Sallustio, nel presentare Catilina (V), sottolinei nuovamente il dualismo originario
dell'uomo («*et animi et corporis* [...] *corpus patiens inediae* [...], *ani-*
mus audax, subdolus [...], *vastus animus*») ma per riconoscere una

---

[12] «Sallustio esordì nella *Guerra Giugurtina* e nella *Guerra Catilinaria* con diva-
gazioni introduttive, che nulla hanno da vedere col racconto stretto dei fatti»
(Quintiliano, *L'istituzione oratoria*, a cura di R. Faranda e P. Pecchiura, vol. I,
Torino 1979, pp. 410-411).

minacciosa incongruenza. Il ritratto, straordinario per energia e penetrazione psicologica, ci immette infatti subito nel tema profondo e centrale dell'intera monografia: l'ambiguità mostruosa dei nuovi tempi. Catilina è insieme un eroe e un delinquente; possiede vizi e virtù; è un personaggio controverso, oscuro, geniale, violento. Sallustio ne avverte il pericoloso fascino, perverso e inquietante; sottolinea, durante tutto il corso dell'opera, la grandiosità delle sue scelte, la forza morale nel sostenerle fino in fondo, la purezza della sua morte valorosa. Catilina è il perfetto paradigma di un'epoca scandalosa nella quale si è perduto ogni discrimine fra bene e male, dove le virtù si mescolano rovinosamente al vizio: anche di Sempronia (XXV) lo storico deve riconoscere, a malincuore, la finezza dell'ingegno, le qualità intellettuali superiori. Il male dei tempi riposa nel divorzio tra intelligenza e moralità, nell'infinità indifferenziata dei progetti, nella confusione delle lingue: nel suo splendido discorso in Senato (LII), Catone denuncia vanamente la fuga di ogni parola dal suo senso originario. La storia, dinanzi a Sallustio, sembra ormai dispiegarsi come un teatro tragico e confuso di forze equipollenti. Quando solo i vincitori si trovano nella condizione di dettare delle ragioni, uno storico ha il dovere di non limitarsi ai fatti: deve richiamarsi a dei valori, tracciare dei fondamenti: poiché il disastro dei tempi è etico prima che politico, e il fascino di Catilina è il risultato di una confusione intellettuale, di uno smarrimento morale. Il platonismo di Sallustio si veste di sentimenti catoniani e italici: tra Atene e i monti dell'Abruzzo, lo storico reclama una verità elementare dello spirito prima di ripercorrere i sentieri di un non lontano passato.

Un episodio vent'anni lontano

Perché Sallustio, nel momento in cui dichiara di voler divenire storico di Roma, sceglie di narrare l'episodio di Catilina? Egli stesso, a dire il vero, sembra darci la risposta più semplice: «*nam id facinus in primis ego memorabile existumo sceleris atque periculi novitate*» (IV, 4). Ma si trattava veramente di un episodio senza precedenti (*novitas*)? Dall'epoca di Mario e Silla, e forse già dall'età dei Gracchi, non erano mancati episodi forse più clamorosi, certo più sanguinosi: ma in Sallustio l'indagine storica è un'esigenza morale, non scientifica. Nelle sue opere egli affronta solo temi ed episodi che lo hanno coinvolto emotivamente: lo stesso spunto del *Bellum Iugurthinum* dev'essere sorto sotto l'impressione dei paesaggi africani, delle esperienze vissute durante la guerra civile e gli anni del proconsolato; e la materia delle *Historiae* appartiene agli anni della sua fanciullezza e della sua prima giovinezza. Se il *De coniuratione Catilinae* non è solo un'opera storiografica ma un punto fiammante e indimenticabile della cultura occidentale, è perché noi, leggendo, sentiamo che tra quelle righe la vita pulsa oltre i confini del discorso. L'episodio di Catilina appartiene a un momento avventuroso e forse unico della storia di Roma, quando i giovani più ambiziosi e irrequieti sognano il potere, praticano la rivolta, parlano di arte e di bellezza, si iniziano ai misteri più ardui della religione, vanno ad Atene ad ascoltare i filosofi, si esaltano per Alessandro Magno; e tutto può ancora essere compiuto! Sallustio era uno di loro. Più di vent'anni sono trascorsi; quei fatti, ormai lontani, sono ancora vivi in chi li ha vissuti in prima persona, appartengono all'immaginario di un'intera generazione, a un punto irripetibile della loro storia. E intanto Sallustio non è più giovane, è stato tagliato fuori dalla politica attiva; è ricco, forse nutre rimorsi di natura etica e politica; forse si è inasprito il suo moralismo. Quegli anni contraddittori risorgono dinanzi a lui animati di uno splendore mitico, di un'aura generosa che lo confondono. Allora la pagina si accende di un colore tragico, reclama il linguaggio della passione: lo stile, grave, arcaico, solenne, è improvvisamente tagliato da una corrente inquieta e drammatica; la frase s'impenna, si oscura; lo sguardo si fa più rapido, concitato. Ammira Cesare e Catone per la loro energia, Catilina per la sua fierezza; se è così tiepido con Cicerone, è perché il console rappresentava l'istituzione, sosteneva la necessità di un equilibrio. E mentre scrive, sono tutti morti tragicamente: Catilina in battaglia, nel gennaio del 62; Catone fieramente suicida, nel 46; Cesare e Cicerone barbaramente assassinati, nel 44 e nel 43. L'ambiguità dei tempi è anche l'ambiguità del suo autore: mentre rivive i terribili fatti di quel lontano inverno, mentre osserva con inquietudine gli anticipi di un feroce presente, non può fare a meno di sottrarsi alle forze di una pericolosa seduzione.

In cosa consiste una struttura? In una semplice corrispondenza numerica di parti? In un calcolo preordinato di mosse all'interno di uno spazio rigorosamente programmato? Ma non sempre una forma appare, si rende visibile; molte opere si nascondono, raccogliendosi in un territorio più segreto, di cui sentiamo la potenza ma che non possiamo descrivere. Da Reitzenstein a Giancotti, diversi studiosi da un secolo in qua hanno tentato di disegnare una mappa strutturale della *Congiura di Catilina*; nessuno in modo convincente. Poiché spesso, all'interno di uno spazio, un elemento può svolgere contemporaneamente diverse funzioni, moltiplicare il proprio ruolo; spesso, una struttura è simile a un universo musicale, si dissolve in un ritmo.

Lo svolgimento dei fatti, in questo libro splendido e scontroso, ha un andamento mosso, irregolare, fortemente soggettivo. Qualcuno, in un'ansa drammatica del tempo e della storia, si impone di ripensare un episodio non lontano della *res publica*: è un quadro fosco, dinamico, imprevedibile, che si costituisce a poco a poco, dalla vertigine metafisica dei primi capitoli fino al solenne, lento sguardo dall'alto sul campo di battaglia dopo la strage, tra il lutto e la gioia dei vincitori. Tra i due estremi Sallustio opera, per movimenti di contrasto, passaggi bruschi e inattesi di luogo e di tempo, digressioni storiche, sospensioni, rapidi e lampeggianti ritratti, inserzioni di documenti, lunghi e tesi discorsi che non rivelano solo un programma politico, una visione del mondo, ma anche una personalità. Il fascino maggiore del libro risiede proprio in questo ritmo improprio e diseguale, nella progressione drammatica degli eventi, che a volte sembra sorprendere lo stesso autore. Poiché il *De coniuratione Catilinae* è un'opera tragica in forma di racconto storico. Gli avvenimenti sono reali, ma su di essi fionda la luce, rovinosa, di una fatalità: ogni opera dell'uomo è destinata a un'acme e a una decadenza; la storia di Roma è sottoposta alla corrosione del successo e del potere. Il senso ancora oscuro di questa storia conferisce al racconto quella luce tragica e austera che tanto dovette affascinare Tacito più di un secolo dopo.

Sarebbe facile, naturalmente, indicare i modelli storiografici di Sallustio: da quello tucidideo (ricerca delle cause, uso dei documenti, lucido realismo della rappresentazione, problematica morale, accentuazione degli aspetti politico-militari, brevità dello stile, uso di arcaismi) a quello della storiografia ellenistica (inclinazione al romanzesco, *páthos* tragico della rappresentazione, drammatizzazione degli eventi, tendenza alle variazioni tematiche, interesse per le psicologie, rilievo dei ritratti, vivacità delle descrizioni). Ma in Sallustio questi aspetti danno luogo a un'opera nuovissima e originale, affidata alla tensione dello stile, romanamente lapidario ed ellenisticamente variato, al montaggio rapidissimo degli episodi, al sentimento eroico della storia, all'interpretazione problematica, mai banalmente pittoresca o ideologica, dei fatti. Sallustio abbrevia, tronca, elide, si concentra su un particolare, fa balenare improvvisi legami. Non cede mai agli effetti, al gusto del macabro e del triviale, all'enfasi dei sentimenti, alla retorica degli eroismi, all'esteriorità monumentale delle descrizioni. Al centro della sua riflessione pone il tema della *virtus*, degradata dalle passioni, incapace di reggere gli antichi modelli della protorepubblica. Poiché la ricerca della verità gli si presenta sempre come passato, è un'indagine archeologica, un movimento regressivo verso l'infanzia dei popoli, ai confini con le terre irreali del mito.

Una conclusione

Di nuovo ci chiediamo perché, di fronte alle opere di Sallustio (come a quelle di Tacito, di Machiavelli, di Guicciardini), noi sentiamo di toccare una verità, dei fondamenti, delle radici. E questo nonostante le imprecisioni, gli errori, le reticenze, i dubbi, le oscurità, fortuite o no, delle loro storie. Forse è perché questi scrittori si sono posti in una prospettiva complessa, molteplice di fronte al tema dell'agire umano: che è il risultato non solo di un progetto, ma anche di un'emozione, di una passione, di un sentimento. Sapevano benissimo cos'era la politica; l'avevano anche praticata; non erano degli idealisti: ma nessuno di loro, proprio per questo, avrebbe mai commesso la sciocchezza di pensare che la politica esista allo stato puro, che l'esercizio del potere sia una disciplina tecnica. Né avrebbero mai preteso di spiegare un episodio di storia urbana sottolineando solo ragioni sociali ed economiche. Poiché ogni complesso sociale è un grande vivaio dal quale potrebbe emergere qualsiasi cosa, anche una rivoluzione mistica (come di lì a poco sarebbe accaduto in Roma): le famose cause storiche rilucono solo quando tutto è già accaduto. Ma i catilinari sono anzitutto degli esaltati, la loro vita è stata per lo più confusa e imprevidente, le loro azioni imprudenti. Vogliono imitare il cinismo dei loro maestri, sillani e mariani: in loro lo spirito d'avventura è più forte dell'obiettivo stesso. Se trovano delle ragioni sociali, è perché in ogni epoca, anche in quelle di maggior benessere, di maggior giustizia, se ne troveranno sempre: il lamento sull'infame presente è un *tópos* delle società più ricche. Agiscono brutalmente, sotto la pulsione di desideri feroci e incontrollati: l'ambizione politica si sposa al libertinaggio, il declassamento sociale all'invidia per i nuovi potenti. Ci si è chiesti, inutilmente, perché un intero capitolo sia dedicato a Sempronia, una donna che non avrà alcun ruolo importante nella congiura: ma perché Sallustio vuole rappresentare un dramma, indicare i semi di un agire. Cesare era un grande statista, un impareggiabile comandante, un uomo colto capace anche di discutere su problemi di natura squisitamente linguistica: nelle sue opere la parola *Caesar* controlla signorilmente il mondo, ordina gli avvenimenti, li sottrae all'arbitrio della fortuna. Ma nelle opere di Sallustio battono venti oscuri, e i personaggi sentono ogni volta il peso di un'indecisione, di una debolezza, di una fatalità. Nondimeno Sallustio cerca ogni volta di spiegare, indaga le ragioni di un evento: il suo stile aspro e inquieto esprime da solo il senso di questo generoso, tormentato duello.

STRUTTURA E SOMMARIO DELL'OPERA

Capp. I-IV
Proemio

Riflessione di natura etico-politica: l'uomo, composto di anima e di corpo, deve aspirare alla gloria con le forze dello spirito; nobiltà degli studi storici; ragioni che hanno portato l'autore a ritirarsi a vita privata e a narrare l'episodio della congiura di Catilina.

Cap. V
Ritratto di Catilina

Viene presentato il protagonista del racconto, Lucio Sergio Catilina, uomo di grandi vizi ma anche di grandi qualità intellettuali e fisiche, frutto pericoloso di una società corrotta e raffinata.

Capp. VI-XIII
Primo excursus *sulla storia di Roma*

È la cosiddetta «archeologia»: le grandi virtù antiche hanno favorito l'espansione della potenza romana, ma dopo la caduta di Cartagine, con l'affluire di grandi ricchezze, inizia un periodo di decadenza e di corruzione, che esplode durante l'età di Silla. Avidità, ambizione politica, ricerca del lusso sconvolgono l'assetto sociale della città e incitano la gioventù al delitto.

Capp. XIV-XVII
Inizia il racconto

Nella città corrotta, Catilina, maestro di vizi e di immoralità, raccoglie seguaci soprattutto tra i giovani. Un giorno dei primi di giugno del 64, poco prima delle elezioni per il consolato alle quali partecipa come candidato, convoca nella sua casa romana illustri personaggi del ceto equestre e senatoriale per rivelare loro i suoi progetti.

Capp. XVIII-XIX
Flashback sulla «prima congiura» di Catilina

Ma Catilina aveva già preso parte a una precedente congiura: nel dicembre del 66 era stato deciso l'assassinio dei due consoli per il successivo 1° gennaio. Il piano, in seguito spostato al 5 febbraio 65, era fallito.

Capp. XX-XXXVI, 3
Il racconto: dai preparativi alla fuga di Catilina

Discorso programmatico di Catilina ai seguaci radunati nella sua casa (XX), ai quali promette la cancellazione dei debiti e la distribuzione delle cariche pubbliche (XXI). Secondo voci che l'autore respinge, il convegno si sarebbe concluso con un orrendo patto di sangue (XXII).

Uno dei presenti, Curio, svela il segreto della congiura alla sua amante: la notizia si diffonde, favorendo l'elezione a console di Cicerone per l'anno 63 (XXIII). Ma Catilina non desiste dal suo piano: si procura armi, denaro, nuovi affiliati, tra cui molte donne (XXIV). Ritratto di Sempronia, una donna raffinata e corrotta, che partecipa al complotto (XXV).

Nel 63 Catilina ripresenta la sua candidatura al consolato per l'anno seguente: la nuova sconfitta, durante i comizi dell'estate, lo spinge definitivamente alla rivolta (XXVI). Al comando di un ex ufficiale sillano di Fiesole, Manlio, viene allestito un esercito. Nella notte tra il 6 e il 7 novembre del 63, nella casa di Leca, viene deciso che all'alba il console sarà assassinato: ma Cicerone, avvertito in tempo, sventa il piano (XXVII-XXVIII).

Il Senato conferisce a Cicerone i pieni poteri e si organizza militarmente per contrastare i disordini in Roma e nel resto d'Italia (XXIX-XXX). Il giorno 8 novembre Cicerone, davanti all'assemblea del Senato, con un grande discorso (*I Catilinaria*) accusa Catilina di attentare alla repubblica. Catilina, nella notte del 9, fugge verso Fiesole, affidando il comando delle operazioni a Roma a Cetego e a Lentulo (XXXI-XXXII).

Segue una lettera di Manlio, dove vengono esposte le ragioni della rivolta (XXXIII); altre di Catilina, che finge di partire in esilio per Marsiglia (XXXIV) e raccomanda a un amico la moglie Orestilla, accennando ai motivi della sua fuga (XXXV). Catilina giunge infine all'accampamento militare di Manlio, mentre a Roma viene dichiarato «nemico della patria» (XXXVI, 1-3).

Capp. XXXVI, 4-XXXIX, 4
Secondo excursus sulla storia di Roma

Continuano le riflessioni di Sallustio sulla corruzione e sul degrado della vita pubblica romana: dopo Silla si era accentuato il disagio delle classi più povere; il ripristino dell'autorità tribunizia aveva nel frattempo favorito un clima di disordini sociali; ma sull'interesse pubblico prevaleva una sfrenata volontà di potere personale e troppi erano coloro che, per vari motivi, aspettavano con ansia l'occasione di sovvertire lo Stato.

Capp. XXXIX, 5-L
Il racconto: gli avvenimenti in Roma

I congiurati rimasti in città prendono contatti con gli ambasciatori degli Allobrogi, una popolazione gallica sottomessa cinquant'anni prima, e che mal sopportava l'imposizione dei tributi romani. Ma gli Allobrogi si rivolgono al console, che propone loro di collaborare: fingono interesse per il complotto, poi si fanno consegnare lettere comprometttenti. Nella notte tra il 2 e il 3 dicembre 63, i congiurati vengono catturati in un agguato sul Ponte Milvio, mentre si apprestavano a raggiungere Catilina (XL-XLV).

Seguono, in Senato, gli interrogatori e le confessioni; i capi della congiura vengono affidati in libera custodia (XLVI-XLVII). Si diffondono voci, dall'autore respinte, su un possibile coinvolgimento nella congiura di Cesare e di Crasso (XLVIII-XLIX).

Comincia la seduta in Senato del 5 dicembre, nella quale occorre prendere una decisione sulla sorte dei colpevoli (L).

Capp. LI-LIII, 1
Gli interventi in Senato di Cesare e di Catone

Con un discorso lucido, raffinato e ambiguo, Cesare dichiara di essere contrario alla pena capitale, definendo illegale il provvedimento; ma Catone, impetuoso e sferzante, convince l'aula a votare per la condanna a morte.

Capp. LIII, 2-LIV
Terzo excursus *sulla storia di Roma e confronto tra Cesare e Catone*

Ultime considerazioni sulle ragioni della grandezza di Roma: solo la *virtus* di pochi grandi uomini può rendere grande una nazione; ma dove la corruzione soffoca la grandezza, uno Stato è destinato a perdersi (LIII, 2-LIII, 5). Due ritratti a confronto: benché diversi e opposti per carattere, origini e costumi di vita, Catone e Cesare rappresentano un fulgido esempio di *virtus* morale e politica.

Cap. LV
Il racconto: *l'esecuzione dei cospiratori*

Cicerone, temendo nuovi disordini, nella notte del 3 dicembre decide di affrettare l'esecuzione dei condannati, che vengono strozzati nel carcere Tulliano.

Capp. LVI-LXI
Epilogo cruento

Il quadro dell'azione si sposta in Etruria: Catilina cerca dapprima di evitare lo scontro e di raggiungere la Gallia; poi, chiuso tra due eserciti, decide per la battaglia (LVI-LVII). Dopo un feroce e animoso discorso ai soldati (LVIII), schiera l'esercito (LIX). La battaglia infuria violentissima (5 gennaio 62): Catilina muore con i compagni combattendo fieramente (LX). Orrore e commozione dei vincitori, al termine dello scontro, osservando la grande strage sul campo (LXI).

NOTA BIBLIOGRAFICA

Edizioni critiche moderne del De coniuratione Catilinae
A.W. Ahlberg, Leipzig 1919; A. Kurfess, Leipzig 1957; A. Ernout, Paris 1967.

Commenti
L. J. Hellegouarc'h, Paris 1971; C. Marchesi, Messina-Milano 1939; E. Malcovati, Torino 1971; K. Vretska, Heidelberg 1976; P. McGushin, Leiden 1977.

Lessici
F. Natta, *Vocabolario sallustiano*, Torino 1894 (e 1923); A. W. Bennett, *Index verborum Sallustianus*, Hildesheim-New York 1969; K. Thraede, *Lexicon zu Sallust*, 2 voll., Hildesheim 1970.

Testimonianze antiche su Sallustio
C. *Sallusti Crispi orationes et epistulae de historiarum libris excerptae*, a cura di V. Paladini, Bologna 1967.

Fra le traduzioni italiane più recenti
P. Frassinetti, Torino 1963; R. Ciaffi, Milano 1969; I. Mariotti, Roma 1972; L. Storoni Mazzolani, Milano 1976; A. Chiari, Milano 1978; L. Canali, Milano 1982; N. Flocchini, Milano 1989.

La presente traduzione
È condotta sul testo di A. Ernout, Paris 1967. Nella traduzione, per ragioni di stile, è stato a volte variato l'uso della punteggiatura.

Studi di carattere generale su Sallustio
V. Paladini, *Sallustio: aspetti della figura, del pensiero, dell'arte*, Messina 1948; K. Büchner, *Sallust*, Heidelberg 1960; R. Syme, *Sallustio*, Brescia 1968; A. La Penna, *Sallustio e la «rivoluzione romana»*, Milano 1968; I. La-

na, *Solitudine di Sallustio: dalla politica alla storiografia*, in *Sallustiana*, L'Aquila 1969; L. Storoni Mazzolani, *L'impero senza fine*, Milano 1972, pp. 45-87; E. Paratore, *Sallustio*, Roma 1973; V. Poeschl, *Sallust*, Darmstadt 1981.

Sul pensiero storico classico e sulla storiografia romana

S. Mazzarino, *Il pensiero storico classico*, Roma-Bari 1966; J.-M. André-A. Hus, *L'Histoire à Rome*, Vendôme 1974; D. Musti, *Il pensiero storico romano*, in *Lo spazio letterario di Roma antica*, vol. I, *La produzione del testo*, Roma 1989.

Sulla carriera politica di Sallustio

T.R.S. Broughton, *More notes on Roman magistrates*, in «Translations of the American Philological Association», 79, 1948, pp. 63-78 (sulla pretura di Sallustio); W. Allen, *Sallust's political career*, in «Studies in Philology», 51, 1954; H. W. Benario, *The End of Sallustius Crispus*, in «Classical Journal», 57, 1962, pp. 321-323 (sugli ultimi anni di vita di Sallustio).

Sull'ideologia di Sallustio

I. Calevo, *Il problema della tendenziosità in Sallustio*, Udine 1940; L. Canfora, *Il programma di Sallustio*, in «Belfagor», 1972; O. Bianco, *La Catilinaria di Sallustio e l'ideologia dell'integrazione*, Lecce 1975; G. D'Anna, *Sall. Cat. 37-39 e Iug. 41-42: l'evoluzione ideologica dello storico nel passaggio dalla prima alla seconda monografia*, in «Rivista di Cultura Classica e Medievale», 1978; O.S. Due, *La position politique de Salluste*, in «Classica et Mediaevalia», 34, 1983, pp. 113-139.

Studi di carattere storico sull'episodio della congiura

G. Boissier, *La conjuration de Catilina*, Paris 1905; B. Jonson, *Catilina, his Conspiracy*, Oxford 1921; E. Manni, *Lucio Sergio Catilina*, Firenze 1934; L. Pareti, *La congiura di Catilina*, Catania 1934; L. Havas, *La monographie de Salluste sur Catilina et les événements qui suivirent la mort de César*, in «Acta classica», 1971; C. Questa, *Sallustio, Tacito e l'imperialismo romano*, in «Atti Mem. Arcadia», 1975-1976.

Sui proemi

C. Wagner, *De Sallustii proemiorum fontibus*, Leipzig 1910; E. Bolaffi, *I proemi delle monografie di Sallustio*, in «Athenaeum», 1938; M. Rambaud, *Les prologues de Salluste et la démonstration morale dans son œuvre*, in «Revue des études latines», 1946; A. La Penna, *Il significato dei proemi sallustiani*, «Maia», gennaio-marzo (prima parte) e aprile-giugno (seconda parte) 1959; O. Bianco, *L'ideologia del proemio della Catilinaria di Sallustio*, Lecce

1974; E. Tiffou, *Essai sur la pensée morale de Salluste à la lumière de ses prologues*, Paris 1974.

Sulla struttura

F. Giancotti, *Struttura delle monografie di Sallustio e di Tacito*, Messina-Firenze 1971.

Sui ritratti sallustiani

B. Riposati, *L'arte del ritratto in Sallustio*, in *Sallustiana*, L'Aquila 1969.

Sui discorsi

E. Cesareo, *Le orazioni nell'opera di Sallustio*, Palermo 1938; R. Ullmann, *La technique des discours dans Salluste, Tite-Live et Tacite*, Oslo 1927, pp. 24-48.

Influenze e modelli

P. Perrochat, *Les modèles grecs de Salluste*, Paris 1949; T.F. Scanlon, *The Influence of Thucydides on Sallust*, Heidelberg 1980.

Linguaggio e stile

S.L. Fighiera, *La lingua e la grammatica di C. Sallustio Crispo*, Savona 1897; V. Goldschmidt, *Syntaxe et style chez Salluste*, MES, Paris 1936; A. Ernout, *Salluste e Caton*, in «Information littéraire», 1949, pp. 61-65; V. Bolaffi, *Le style et la langue de Salluste*, in «Phoibos», 6-7, 1952-1953, pp. 57-96; M.P. Carnevali, *Ricerche sul ritmo della prosa sallustiana*, in «Atti e memorie dell'Accademia Toscana di Scienze e Lettere La Colombaria», vol. XXIV, 1959-1960, pp. 161-220; J.-P. Chausserie-Laprée, *L'expression narrative chez les historiens latins*, Paris 1969, pp. 155 sgg.; C. De Meo, *Ideologia e stile in Sallustio*, Bologna 1970; A.D. Leeman, *Orationis ratio. Teoria e pratica stilistica degli oratori, storici e filosofi latini*, Bologna 1974.

Sulla fortuna di Sallustio

E. Bolaffi, *Sallustio e la sua fortuna nei secoli*, Roma 1949; A. La Penna, *Congetture sulla fortuna di Sallustio nell'antichità*, in *Studi in onore di A. Ronconi*, Roma 1970; L. Canfora, *Per una storia del canone degli storici: il caso del "corpus" sallustiano*, in AA. VV., *Società romana e impero tardoantico*, a cura di A. Giardina, Roma-Bari 1986.

Per un'introduzione a Sallustio

Letture critiche: *Sallustio*, a cura di A. Pastorino, Milano 1978 (con saggi di Frassinetti, Syme, Lana, Lepore, Alfonsi, Löfstedt, Paladini, Gaetano De Sanctis, La Penna, Mazzarino, Büchner, Riposati, Funaioli).

DE CONIURATIONE CATILINAE

LA CONGIURA DI CATILINA

I. ¹Omnis homines qui sese student praestare ceteris animalibus summa ope niti decet ne vitam silentio transeant veluti pecora, quae natura prona atque ventri oboedientia finxit. ²Sed nostra omnis vis in animo et corpore sita est; animi imperio, corporis servitio magis utimur; alterum nobis cum dis, alterum cum beluis commune est. ³Quo mihi rectius videtur ingeni quam virium opibus gloriam quaerere et, quoniam vita ipsa qua fruimur brevis est, memoriam nostri quam maxume longam efficere. ⁴Nam divitiarum et formae gloria fluxa atque fragilis est, virtus clara aeternaque habetur.

⁵Sed diu magnum inter mortalis certamen fuit vine corporis an virtute animi res militaris magis procederet. ⁶Nam et prius quam incipias consulto et, ubi consulueris, mature facto opus est. ⁷Ita utrumque per se indigens alterum alterius auxilio eget.

II. ¹Igitur initio reges – nam in terris nomen imperi id primum fuit – divorsi, pars ingenium, alii corpus exercebant; etiam tum vita hominum sine cupiditate agitabatur, sua cuique satis placebant. ²Postea vero quam in Asia Cyrus, in Graecia Lacedaemonii et Athenienses coepere urbis atque nationes subigere, lubidinem dominandi causam belli habere,

I. *1* Tutti gli uomini che desiderano eccellere fra gli esseri del mondo, con ogni mezzo debbono prodigarsi per non condurre oscuramente la vita[1], come gli animali, che la natura ha foggiato con il capo rivolto a terra, e schiavi del ventre[2]. *2* Ora, ogni nostra potenza dimora nell'animo e nel corpo: all'animo spetta comandare, al corpo servire; l'uno in comune con gli dei, l'altro con le bestie[3]. *3* Perciò mi sembra più giusto cercare la gloria con le forze dello spirito che non del corpo; e poiché la vita medesima di cui godiamo è breve, lasciare un ricordo di noi quanto più possibile duraturo. *4* Perché la gloria delle ricchezze e della bellezza è fragile e passeggera; la virtù un possesso luminoso ed eterno[4].

5 Però per lungo tempo, fra gli esseri mortali, si è discusso se l'arte della guerra tragga maggior vantaggio dalla robustezza del corpo o dalla potenza dello spirito. *6* Poiché è necessario aver riflettuto prima di agire, eseguire con decisione dopo aver deliberato[5]. *7* Così entrambe le cose, di per sé insufficienti, chiedono aiuto l'una all'altra.

II. *1* Dunque da principio i re[1] – poiché fu questo, sulla terra, il primo nome del potere – a seconda dell'inclinazione esercitavano alcuni la mente, altri la forza fisica[2]: a quel tempo la vita degli uomini trascorreva ancora senza avidità; ognuno era pago del proprio[3]. *2* Però, dopo che in Asia Ciro, in Grecia Spartani e Ateniesi[4] intrapresero a soggiogare città e nazioni, a reputare motivo valido di guerra la smania di do-

maxumam gloriam in maxumo imperio putare, tum demum periculo atque negotiis compertum est in bello plurumum ingenium posse. [3]Quod si regum atque imperatorum animi virtus in pace ita ut in bello valeret, aequabilius atque constantius sese res humanae haberent, neque aliud alio ferri neque mutari ac misceri omnia cerneres. [4]Nam imperium facile is artibus retinetur quibus initio partum est. [5]Verum ubi pro labore desidia, pro continentia et aequitate lubido atque superbia invasere, fortuna simul cum moribus immutatur. [6]Ita imperium semper ad optumum quemque a minus bono transfertur.

[7]Quae homines arant, navigant, aedificant, virtuti omnia parent. [8]Sed multi mortales, dediti ventri atque somno, indocti incultique vitam sicuti peregrinantes transiere. Quibus profecto contra naturam corpus voluptati, anima oneri fuit. Eorum ego vitam mortemque iuxta aestumo, quoniam de utraque siletur. [9]Verumenimvero is demum mihi vivere atque frui anima videtur, qui aliquo negotio intentus praeclari facinoris aut artis bonae famam quaerit.

III.   [1]Sed in magna copia rerum aliud alii natura iter ostendit. Pulchrum est bene facere rei publicae, etiam bene dicere haud absurdum est; vel pace vel bello clarum fieri licet; et qui fecere, et qui facta aliorum scripsere, multi laudantur. [2]Ac mihi quidem, tametsi haudquaquam par gloria sequitur scriptorem et auctorem rerum, tamen inprimis arduum videtur res gestas scribere: primum, quod facta dictis exaequanda sunt; dehinc, quia plerique, quae delicta reprehenderis, malivolentia et invidia dicta putant; ubi de magna virtute atque gloria bonorum memores, quae sibi quisque facilia factu putat, aequo animo accipit, supra ea veluti ficta pro falsis ducit.

minio, a valutare la gloria dall'estensione del potere, allora, finalmente, con l'esperienza e con i fatti, ci si rese conto che è l'intelligenza in guerra a valere di più[5]. *3* Poiché, se la potenza dello spirito di re e governanti si dispiegasse in pace come in guerra, le vicende umane si svolgerebbero in modo più uniforme e stabile, e non vedremmo i poteri trasmigrare dal l'uno all'altro, ogni cosa disordinata e sconvolta. *4* Perché il potere può facilmente essere conservato con i medesimi mezzi che lo hanno reso possibile: *5* ma quando, invece dell'operosità sottentra l'ignavia, invece della temperanza e dell'equità l'insolenza e il capriccio, con i costumi muta anche la fortuna. *6* Così il potere sempre si trasferisce dal meno capace al migliore.

7 Agricoltura, navigazione, architettura, tutto obbedisce all'ingegno[6]. *8* Ma quanti esseri umani, dediti al ventre e al sonno, trascorrono ignoranti e incolti la vita, come viandanti? per essi, contro il volere della natura[7], il corpo è uno strumento di piacere, l'anima un peso. Poiché di entrambe si tace, pongo la loro vita sullo stesso piano della morte. *9* Mi pare invece che veramente goda e viva della propria anima colui che, intento a qualche attività, cerca la fama in un'impresa gloriosa o in una nobile occupazione. Ma in una così grande varietà di opere, la natura addita a ciascuno un diverso cammino[8].

III. *1* È bello servire lo Stato con i fatti, non è sconveniente farlo con le parole; e molti hanno acquistato rinomanza compiendo imprese, molti narrando quelle degli altri[1]. *2* Però, sebbene una gloria non pari accompagni chi scrive e chi compie le imprese, credo che specialmente arduo sia il compito dello storico: primo, perché bisogna adeguare le parole ai fatti[2]; poi, perché la maggior parte della gente considera dettate da invidia e da odio le parole con cui si denuncia una colpa, mentre, quando si sono ricordati il grande valore e la gloria dei buoni, ognuno accetterà di buon grado quanto ritiene di poter fare facilmente egli stesso; giudicherà falso, frutto di fantasia, ciò che riesce superiore alle sue forze[3].

³Sed ego adulescentulus initio, sicuti plerique, studio ad rem publicam latus sum, ibique mihi multa advorsa fuere. Nam pro pudore, pro abstinentia, pro virtute, audacia, largitio, avaritia vigebant. ⁴Quae tametsi animus aspernabatur, insolens malarum artium, tamen inter tanta vitia imbecilla aetas ambitione corrupta tenebatur; ⁵ac me, cum ab relicuorum malis moribus dissentirem, nihilo minus honoris cupido eadem quae ceteros fama atque invidia vexabat.

IV. ¹Igitur, ubi animus ex multis miseriis atque periculis requievit et mihi relicuam aetatem a re publica procul habendam decrevi, non fuit consilium socordia atque desidia bonum otium conterere, neque vero agrum colundo aut venando, servilibus officiis, intentum aetatem agere; ²sed a quo incepto studioque me ambitio mala detinuerat eodem regressus, statui res gestas populi Romani carptim, ut quaeque memoria digna videbantur, perscribere; eo magis quod mihi a spe, metu, partibus rei publicae animus liber erat. ³Igitur de Catilinae coniuratione quam verissume potero paucis absolvam; ⁴nam id facinus in primis ego memorabile existumo sceleris atque periculi novitate. ⁵De cuius hominis moribus pauca prius explananda sunt quam initium narrandi faciam.

V. ¹Lucius Catilina, nobili genere natus, fuit magna vi et animi et corporis, sed ingenio malo pravoque. ²Huic ab adulescentia bella intestina, caedes, rapinae, discordia civilis grata fuere, ibique iuventutem suam exercuit. ³Corpus patiens inediae, algoris, vigiliae, supra quam cuiquam credibile est. ⁴Animus audax, subdolus, varius, cuius rei lubet simulator ac dissimulator; alieni adpetens, sui profusus; ardens in cupiditati-

3 Ma io, fin da ragazzo[4], come tanti altri, mi diedi con passione alla politica[5]; e dovetti sopportare molte contrarietà. Poiché, al posto della discrezione, del disinteresse, del merito, spadroneggiavano l'impudenza, la corruzione, l'avidità. *4* Anche se l'animo, non abituato alle pratiche disoneste, disprezzava queste cose, fra tanti vizi l'età ancora fragile, sedotta dall'ambizione, veniva tenuta in uno stato di corruzione; *5* e benché dissentissi dalla cattiva condotta altrui, il desiderio di far carriera mi travagliava esponendomi come gli altri alla maldicenza e all'invidia.

IV. *1* Così il mio animo, quando, dopo tante miserie, tanti pericoli, si fu placato, e io avevo determinato di vivere lontano, per il resto della mia esistenza, da ogni attività politica, non fu mio proposito consumare nel torpore e nell'indolenza un tempo prezioso[1], né passare l'esistenza coltivando campi o cacciando, occupazioni servili[2]; *2* ma, ritornato a quel progetto e a quella passione da cui mi aveva distolto una dannosa ambizione, mi prefissi di narrare per episodi[3] le storie del popolo romano, secondo che mi paressero degne di memoria, visto che il mio animo era ormai libero da speranze, faziosità, paure. *3* Perciò tratterò in breve[4], con quanta più verità potrò, della congiura di Catilina[5]; *4* poiché, per l'eccezionalità del delitto e del pericolo corso, sono convinto che quel fatto vada ricordato prima di ogni altro. *5* Ma prima di dare inizio al racconto, è bene che illustri brevemente i caratteri di quest'uomo.

V. *1* Lucio Catilina[1], discendente da una nobile famiglia[2], fu un uomo di grande energia intellettuale e fisica, ma di natura viziosa e malvagia. *2* Fin da ragazzo trovava il suo piacere nelle guerre intestine, nelle stragi, nelle rapine, nella discordia civile[3]; e qui esercitò la sua giovinezza. *3* Un corpo incredibilmente resistente alla fame, al gelo, alle veglie[4]. *4* Un animo temerario, subdolo, versatile; in ogni cosa simulatore e dissimulatore; avido dell'altrui, prodigo del proprio, ardente

bus; satis eloquentiae, sapientiae parum. [5]Vastus animus inmoderata, incredibilia, nimis alta semper cupiebat. [6]Hunc post dominationem L. Sullae lubido maxuma invaserat rei publicae capiundae, neque id quibus modis adsequeretur, dum sibi regnum pararet, quicquam pensi habebat. [7]Agitabatur magis magisque in dies animus ferox inopia rei familiaris et conscientia scelerum, quae utraque is artibus auxerat quas supra memoravi. [8]Incitabant praeterea corrupti civitatis mores, quos pessuma ac divorsa inter se mala, luxuria atque avaritia, vexabant.

[9]Res ipsa hortari videtur, quoniam de moribus civitatis tempus admonuit, supra repetere ac paucis instituta maiorum domi militiaeque, quomodo rem publicam habuerint quantamque reliquerint, ut, paulatim immutata, ex pulcherruma < atque opt*u*ma > pessuma ac flagitiosissuma facta sit, disserere.

VI. [1]Urbem Romam, sicuti ego accepi, condidere atque habuere initio Troiani qui, Aenea duce profugi, sedibus incertis vagabantur, cumque is Aborigines, genus hominum agreste, sine legibus, sine imperio, liberum atque solutum. [2]Hi postquam in una moenia convenere, dispari genere, dissimili lingua, alius alio more viventes, incredibile memoratu est quam facile coaluerint: < ita brevi multitudo diversa atque vaga concordia civitas facta erat. >

[3]Sed postquam res eorum civibus, moribus, agris aucta satis prospera satisque pollens videbatur, sicuti pleraque mortalium habentur, invidia ex opulentia orta est. [4]Igitur reges populique finitumi bello temptare, pauci ex amicis auxilio esse; nam ceteri, metu perculsi, a periculis aberant. [5]At Romani, domi militiaeque intenti festinare, parare, alius alium hortari, hostibus obviam ire, libertatem, patriam parentesque armis

nelle passioni; di bella loquela, di poca saggezza[5]. *5* In lui uno spirito insaziabile anelava sempre a cose smisurate, incredibili, troppo alte. *6* Dopo la dittatura di Lucio Silla era stato invaso da una violenta bramosia di impadronirsi dello Stato; nessuno scrupolo su come ottenerlo; suo unico scopo era regnare. *7* Sempre di più, giorno dopo giorno, quello spirito insofferente era esacerbato dalla ristrettezza del patrimonio familiare e dal rimorso dei delitti, frutto tutti e due della condotta di vita che ho già prima ricordato. *8* Lo incitavano inoltre i corrotti costumi della città, che due mali rovinosi benché contrastanti, il lusso e l'avidità[6], piagavano.

9 Ma poiché l'occasione mi ha fatto ricordare i costumi della città, l'argomento stesso mi impone di rifarmi indietro e di delineare in poche parole le istituzioni dei nostri avi in pace e in guerra, in che modo amministrarono lo Stato, quanto grande lo lasciarono, come esso sia passato, trasformandosi poco a poco, dal massimo dello splendore e della perfezione a una condizione di miseria e di degradazione.

VI. *1* La città di Roma, secondo quanto ho appreso, la fondarono e abitarono per primi i Troiani[1], che vagavano profughi, senza una meta, sotto la guida di Enea, e insieme con loro gli Aborigeni, un popolo agreste senza leggi, senza governo, libero e sregolato. *2* Dopo che si furono raccolti entro le medesime mura[2], benché diversi per razza, lingua, cultura, quasi non si crederebbe a dirlo con quanta facilità si fusero tra loro: così, in breve, una massa dispersa e nomade era divenuta una città. *3* Ma dopo che il loro Stato, cresciuto in uomini, in terre, in civiltà, sembrava abbastanza prospero e abbastanza forte, come spesso accade nelle cose degli uomini, si generò dal benessere l'invidia. *4* Re e popoli confinanti li sfidavano in guerra[3], pochi amici accorrevano in aiuto: gli altri, atterriti, si tenevano lontano dai pericoli. *5* Ma i Romani, pronti in pace come in guerra, non perdono tempo, allestiscono le difese, l'un l'altro si esortano, muovono incontro ai nemici, con le armi proteggono la libertà, la patria, i padri. Do-

tegere. Post, ubi pericula virtute propulerant, sociis atque amicis auxilia portabant, magisque dandis quam accipiundis beneficiis amicitias parabant. [6]Imperium legitumum, nomen imperi regium habebant. Delecti, quibus corpus annis infirmum, ingenium sapientia validum erat, rei publicae consultabant; ei vel aetate vel curae similitudine patres appellabantur. [7]Post, ubi regium imperium, quod initio conservandae libertatis atque augendae rei publicae fuerat, in superbiam dominationemque se convortit, inmutato more annua imperia binosque imperatores sibi fecere; eo modo minime posse putabant per licentiam insolescere animum humanum.

VII. [1]Sed ea tempestate coepere se quisque magis extollere magisque ingenium in promptu habere. [2]Nam regibus boni quam mali suspectiores sunt, semperque eis aliena virtus formidulosa est. [3]Sed civitas incredibile memoratu est adepta libertate quantum brevi creverit; tanta cupido gloriae incesserat. [4]Iam primum iuventus, simul ac belli patiens erat, in castris per laborem usu militiam discebat, magisque in decoris armis et militaribus equis quam in scortis atque conviviis lubidinem habebant. [5]Igitur talibus viris non labor insolitus, non locus ullus asper aut arduus erat, non armatus hostis formidulosus: virtus omnia domuerat. [6]Sed gloriae maxumum certamen inter ipsos erat; se quisque hostem ferire, murum ascendere, conspici dum tale facinus faceret, properabat; eas divitias, eam bonam famam magnamque nobilitatem putabant. Laudis avidi, pecuniae liberales erant; gloriam ingentem, divitias honestas volebant. [7]Memorare possum quibus in locis maxumas hostium copias populus Romanus parva manu fuderit, quas urbis natura munitas pugnando ceperit, ni ea res longius nos ab incepto traheret.

po, respinto con il valore guerriero ogni pericolo, recavano aiuto agli alleati e agli amici; le amicizie se le guadagnavano più con i benefici accordati che con quelli ricevuti. *6* Il loro governo era fondato sulla legge; la sua forma era la monarchia. Provvedevano allo Stato uomini deboli nel corpo a causa degli anni, forti nella mente per saggezza: per l'età, per l'affinità del ruolo, erano chiamati padri[4]. *7* Dopo, quando il governo regio, che in principio era sorto per custodire la libertà e ingrandire lo Stato, degenerò in superbia, in dispotismo, modificato il sistema di governo, crearono una magistratura annua con due uomini a capo: ritenevano che così l'animo umano non avesse più modo di insolentire per effetto di un potere incontrollato[5].

VII. *1* Però da allora ognuno incominciò a voler emergere, a voler mettere in mostra le proprie qualità. *2* Perché i re diffidano più degli uomini capaci che di quelli inetti; la virtù degli altri, per loro, è sempre fonte di timore[1]. *3* È incredibile, invece, con quale rapidità la città si accrebbe, una volta conseguita la libertà: tanto si era diffuso il desiderio di gloria. *4* Intanto i giovani, appena in grado di sopportare la vita militare, apprendevano con fatica negli accampamenti a fare il soldato, e provavano più gusto per le belle armi e per i cavalli da guerra che per festini e baldracche. *5* Per uomini così, non c'era fatica insolita, nessun luogo aspro o scosceso; nessun nemico armato era fonte di paura: la loro virtù aveva ragione di ogni cosa. *6* Invece fra di essi si svolgeva una smisurata contesa di gloria: ognuno anelava a ferire il nemico, a scalare le mura[2], a farsi vedere mentre compiva tali imprese. Questa era per loro la ricchezza, questa la fama, la vera nobiltà. Avidi di elogi, erano larghi di denaro: ambivano a una immensa gloria, a una moderata agiatezza. *7* Potrei rammentare i luoghi dove il popolo romano, con un esiguo manipolo, sbaragliò immense truppe di nemici, quali città naturalmente fortificate espugnò con la forza, se il racconto non ci sviasse troppo dal tema iniziale.

VIII. [1]Sed profecto fortuna in omni re dominatur; ea res cunctas ex lubidine magis quam ex vero celebrat obscuratque. [2]Atheniensium res gestae, sicuti ego aestumo, satis amplae magnificaeque fuere, verum aliquanto minores tamen quam fama feruntur. [3]Sed quia provenere ibi scriptorum magna ingenia, per terrarum orbem Atheniensium facta pro maxumis celebrantur. [4]Ita eorum qui fecere virtus tanta habetur, quantum eam verbis potuere extollere praeclara ingenia. [5]At populo Romano numquam ea copia fuit, quia prudentissumus quisque maxume negotiosus erat; ingenium nemo sine corpore exercebat; optumus quisque facere quam dicere, sua ab aliis bene facta laudari quam ipse aliorum narrare malebat.

IX. [1]Igitur domi militiaeque boni mores colebantur; concordia maxuma, minima avaritia erat. Ius bonumque apud eos non legibus magis quam natura valebat. [2]Iurgia, discordias, simultates cum hostibus exercebant, cives cum civibus de virtute certabant. In suppliciis deorum magnifici, domi parci, in amicos fideles erant. [3]Duabus his artibus, audacia in bello, ubi pax evenerat aequitate, seque remque publicam curabant. [4]Quarum rerum ego maxuma documenta haec habeo, quod in bello saepius vindicatum est in eos qui contra imperium in hostem pugnaverant quique tardius revocati proelio excesserant, quam qui signa relinquere aut pulsi loco cedere ausi erant; [5]in pace vero quod beneficiis magis quam metu imperium agitabant, et accepta iniuria ignoscere quam persequi malebant.

X. [1]Sed ubi labore atque iustitia res publica crevit, reges magni bello domiti, nationes ferae et populi ingentes vi subacti, Carthago, aemula imperi Romani, ab stirpe interiit, cuncta maria terraeque patebant, saevire fortuna ac miscere omnia coepit. [2]Qui labores, pericula, dubias atque asperas res

VIII. *1* Ma su ogni evento sovrasta la fortuna[1]; essa celebra e oscura ogni cosa a capriccio più che secondo giustizia. *2* Penso alle imprese degli Ateniesi, nobili e gloriose, e tuttavia alquanto inferiori alla loro fama[2]. *3* Ma poiché là fiorirono scrittori di grande forza, le loro imprese sono celebrate nel mondo intero come le più insigni. *4* La virtù di chi le ha compiute è pari alla potenza delle parole che l'hanno esaltata. *5* Ma il popolo romano non ebbe mai grande copia di scrittori, poiché gli uomini più saggi erano anche estremamente attivi; nessuno esercitava la mente senza il corpo; i migliori preferivano agire piuttosto che scrivere, essere lodati per le proprie fortunate imprese piuttosto che narrare quelle degli altri[3].

IX. *1* Dunque in pace, in guerra, erano onorati i buoni costumi: la concordia era totale, non esisteva cupidigia; in loro giustizia e onestà operavano più per disposizione naturale che per forza di legge. *2* Liti, rivalità, contese erano riservate ai nemici; i cittadini gareggiavano tra loro in valore. Erano fastosi nei pubblici sacrifici, in casa parsimoniosi, fedeli con gli amici. *3* Con due qualità amministravano se stessi e il paese, in guerra l'audacia, l'equità quando sopraggiungeva la pace. *4* Di questo ho prove inconfutabili: in guerra chi aveva combattuto con il nemico nonostante gli ordini contrari, o si era ritirato troppo tardi dalla battaglia, benché richiamato, veniva punito più spesso di chi aveva osato abbandonare le insegne o, dopo essere stato respinto, il proprio posto[1]; *5* in pace esercitavano il potere più con i benefici che con il terrore; ricevuta un'offesa, preferivano perdonare piuttosto che vendicarsi[2].

X. *1* Ma come, con operosità e con giustizia, lo Stato crebbe, grandi re furono domati in guerra, genti barbare e popoli potenti sottomessi con la forza[1], Cartagine, rivale della potenza romana, totalmente sradicata[2], quando tutte le terre e i mari si aprirono, la fortuna cominciò a infierire e a sconvolgere ogni cosa[3]. *2* Per uomini che avevano saputo tollerare fatiche, pericoli, eventi aspri e incerti, il riposo e le ricchezze,

15

facile toleraverant, eis otium divitiaeque, optanda alias, oneri miseriaeque fuere. ³Igitur primo pecuniae, deinde imperi cupido crevit; ea quasi materies omnium malorum fuere. ⁴Namque avaritia fidem, probitatem ceterasque artis bonas subvortit; pro his superbiam, crudelitatem, deos neglegere, omnia venalia habere edocuit. ⁵Ambitio multos mortalis falsos fieri subegit, aliud clausum in pectore, aliud in lingua promptum habere, amicitias inimicitiasque non ex re, sed ex commodo aestumare, magisque voltum quam ingenium bonum habere. ⁶Haec primo paulatim crescere, interdum vindicari; post, ubi contagio quasi pestilentia invasit, civitas inmutata, imperium ex iustissumo atque optumo crudele intolerandumque factum.

XI. ¹Sed primo magis ambitio quam avaritia animos hominum exercebat, quod tamen vitium propius virtutem erat. ²Nam gloriam, honorem, imperium bonus et ignavos aeque sibi exoptant; sed ille vera via nititur, huic, quia bonae artes desunt, dolis atque fallaciis contendit. ³Avaritia pecuniae studium habet, quam nemo sapiens concupivit; ea, quasi venenis malis imbuta, corpus animumque virilem effeminat; semper infinita, insatiabilis est, neque copia neque inopia minuitur. ⁴Sed, postquam L. Sulla, armis recepta re publica, bonis initiis malos eventus habuit, rapere omnes, trahere, domum alius, alius agros cupere, neque modum neque modestiam victores habere, foeda crudeliaque in civis facinora facere. ⁵Huc accedebat quod L. Sulla exercitum quem in Asia ductaverat, quo sibi fidum faceret, contra morem maiorum luxuriose nimisque liberaliter habuerat. Loca amoena, voluptaria facile in otio ferocis militum animos molliverant. ⁶Ibi primum insuevit exercitus populi Romani amare, potare, signa, tabulas pictas, vasa caelata mirari, ea privatim et publice rapere, delubra

beni in altre circostanze desiderabili, costituirono un peso e una sventura. *3* Crebbe la cupidigia, prima di denaro, poi di potere; alimento per così dire di ogni male. *4* Poiché l'avidità sovvertì la lealtà, la rettitudine e ogni altra virtù; in cambio educò all'arroganza, alla crudeltà, a trascurare gli dei, a considerare tutto in vendita. *5* L'ambizione forzò molti mortali a esser falsi, ad avere altro sulle labbra, altro nel cuore, a stimare gli amici e i nemici non dal merito ma dal tornaconto, ad apparire buoni nell'aspetto più che nell'animo. *6* Tali cose dapprima crebbero poco a poco, talvolta erano punite; dopo, come il contagio dilagò simile a una pestilenza, la città fu sconvolta, il governo da giusto e onesto si fece crudele e intollerabile.

XI. *1* Dapprima, tuttavia, più dell'avidità fu l'ambizione a sconvolgere i cuori degli uomini: un vizio, ma non lontano dalla virtù. *2* Poiché alla gloria, alle cariche, al comando aspirano allo stesso modo valorosi e vili: ma i primi per la retta via; gli altri, privi delle qualità adatte, con raggiri e con menzogne. *3* L'avidità reca in sé la passione del denaro, che nessun saggio[1] ha mai desiderato: come imbevuta di veleni, essa effemina il corpo e l'animo virile; inesauribile, sempre insaziabile, non è sminuita né dalla miseria né dalla ricchezza. *4* Ma dopo che Lucio Silla[2], ottenuto con le armi il potere, a un buon inizio fece seguire fatti atroci, tutti si diedero a rubare, rapinare, a volere chi terre, chi palazzi; i vincitori a non conoscere né modo né misura, a compiere contro i cittadini azioni scellerate e feroci. *5* A ciò si aggiungeva che, contro la consuetudine degli avi, Lucio Silla aveva concesso con eccessiva indulgenza di vivere nel lusso all'esercito che aveva comandato in Asia[3]: poiché voleva assicurarsene la fedeltà. Nell'ozio di quei luoghi incantevoli e voluttuosi, era inevitabile che ruvidi cuori di soldati dovessero uscirne snervati. *6* Fu lì che per la prima volta un esercito del popolo romano imparò a far l'amore, a bere, ad apprezzare le statue, i quadri, i vasi cesellati[4]: razziarono case private e luoghi pubblici, spogliaro-

spoliare, sacra profanaque omnia polluere. [7]Igitur ei milites, postquam victoriam adepti sunt, nihil relicui victis fecere. Quippe secundae res sapientium animos fatigant; ne illi corruptis moribus victoriae temperarent.

XII. [1]Postquam divitiae honori esse coepere et eas gloria, imperium, potentia sequebatur, hebescere virtus, paupertas probro haberi, innocentia pro malivolentia duci coepit. [2]Igitur ex divitiis iuventutem luxuria atque avaritia cum superbia invasere; rapere, consumere, sua parvi pendere, aliena cupere, pudorem, pudicitiam, divina atque humana promiscua, nihil pensi neque moderati habere. [3]Operae pretium est, cum domos atque villas cognoveris in urbium modum exaedificatas, visere templa deorum quae nostri maiores, religiosissumi mortales, fecere. [4]Verum illi delubra deorum pietate, domos suas gloria decorabant; neque victis quicquam praeter iniuriae licentiam eripiebant. [5]At hi contra, ignavissumi homines, per summum scelus omnia ea sociis adimere, quae fortissumi viri victores reliquerant: proinde quasi iniuriam facere, id demum esset imperio uti.

XIII. [1]Nam quid ea memorem quae nisi eis qui videre nemini credibilia sunt, a privatis conpluribus subvorsos montis, maria constrata esse? [2]Quibus mihi videntur ludibrio fuisse divitiae; quippe quas honeste habere licebat abuti per turpitudinem properabant. [3]Sed lubido stupri, ganeae ceterique cultus non minor incesserat: viri muliebria pati, mulieres pudicitiam in propatulo habere; vescendi causa terra marique omnia exquirere, dormire prius quam somni cupido esset, non famem aut sitim, neque frigus neque lassitudinem opperiri, sed ea omnia luxu antecapere. [4]Haec iuventutem, ubi familiares

no templi, violarono edifici sacri e profani. *7* Simili soldati, appena conquistata la vittoria, non lasciarono nulla agli sconfitti. La prosperità turba perfino il cuore dei saggi[5]: come potevano moderarsi nella vittoria uomini tanto corrotti?

XII. *1* Quando le ricchezze cominciarono a costituire un merito, e a essere accompagnate dalla gloria, dal potere, dal prestigio, la virtù incominciò a intorpidire, la povertà[1] a passare per un disonore, l'integrità morale per una malevola ostentazione. *2* Così il lusso e l'avidità, con la tracotanza, invasero i giovani: si abbandonarono alle rapine, agli sperperi; insoddisfatti del proprio, smaniosi dell'altrui, disprezzavano allo stesso modo la dignità, il pudore, le leggi umane e divine; non si davano pensiero, né si ponevano alcun freno. *3* Quando si vedono case e ville edificate a misura di città[2], varrebbe la pena di visitare i templi degli dei che i nostri avi, uomini profondamente devoti, innalzarono. *4* Abbellivano i santuari con la pietà, le case con la gloria; agli sconfitti toglievano solo la possibilità di nuocere. *5* Questi altri invece, gente ignava, per colmo di scelleratezza strappano agli alleati quello che uomini di straordinario valore, benché vincitori, avevano loro lasciato; come se l'esercizio del potere risiedesse nel commettere soprusi.

XIII. *1* Ma perché ricordare fatti che solo chi li ha visti potrà credere veri, cittadini privati che spianavano montagne, interravano mari[1]? *2* Era come se si prendessero gioco delle loro ricchezze, poiché si affrettavano oltraggiosamente a dilapidare quei beni di cui avrebbero potuto fare buon uso. *3* Ma non meno dilagava la smania di sesso, di gozzoviglia e di ogni altro ricercato piacere: uomini che si adattavano a far la parte delle donne; donne che si offrivano spudoratamente in pubblico; terre e mari esplorate alla ricerca di nuove vivande[2]; dormire prima di aver sonno; soddisfare in anticipo la fame e la sete, il freddo, la stanchezza, prima che si manifestassero. *4* Erano queste abitudini di vita a infiammare la gioventù al

opes defecerant, ad facinora incendebant. [5]Animus inbutus malis artibus haud facile lubidinibus carebat; eo profusius omnibus modis quaestui atque sumptui deditus erat.

XIV. [1]In tanta tamque corrupta civitate Catilina, id quod factu facillumum erat, omnium flagitiorum atque facinorum circum se tamquam stipatorum catervas habebat. [2]Nam quicumque inpudicus, adulter, ganeo, manu, ventre, pene, bona patria laceraverat, quique alienum aes grande conflaverat quo flagitium aut facinus redimeret, [3]praeterea omnes undique parricidae, sacrilegi, convicti iudiciis aut pro factis iudicium timentes, ad hoc quos manus atque lingua periurio aut sanguine civili alebat, postremo omnes quos flagitium, egestas, conscius animus exagitabat, ei Catilinae proxumi familiaresque erant. [4]Quod si quis etiam a culpa vacuus in amicitiam eius inciderat, cottidiano usu atque illecebris facile par similisque ceteris efficiebatur. [5]Sed maxume adulescentium familiaritates adpetebat; eorum animi molles etiam et aetate fluxi dolis haud difficulter capiebantur. [6]Nam ut cuiusque studium ex aetate flagrabat, aliis scorta praebere, aliis canes atque equos mercari, postremo neque sumptui neque modestiae suae parcere dum illos obnoxios fidosque sibi faceret. [7]Scio fuisse nonnullos qui ita existumarent iuventutem, quae domum Catilinae frequentabat, parum honeste pudicitiam habuisse; sed ex aliis rebus magis quam quod cuiquam id compertum foret haec fama valebat.

XV. [1]Iam primum adulescens Catilina multa nefanda stupra fecerat, cum virgine nobili, cum sacerdote Vestae, alia huiuscemodi contra ius fasque. [2]Postremo captus amore Aureliae Orestillae, cuius praeter formam nihil umquam bonus laudavit, quod ea nubere illi dubitabat, timens privignum adulta

delitto, non appena il patrimonio familiare si esauriva: *5* imbevuti di viziose abitudini, non sapevano più rinunciare ai piaceri; ricorrevano a tutto, con animo sempre più smoderato, pur di procurarsi del denaro e di spenderlo.

XIV. *1* In una città così popolosa[1] e così corrotta, non fu un problema per Catilina raccogliere intorno a sé caterve di ogni infamia e di ogni vizio: erano come le sue guardie del corpo[2]. *2* Poiché non c'era nessuno tra viziosi, puttanieri, crapuloni, tra chi aveva dissipato le sostanze paterne a tavola, al gioco, al bordello, o si era indebitato fino al collo per rimediare[3] a un'infamia, a un delitto, *3* né tanto meno tra assassini venuti d'ogni dove, sacrileghi, gente condannata o in attesa di giudizio per i loro crimini, tra chi si era nutrito di spergiuri e di sangue civile, né infine tra chi era tormentato da un'infamia, dalla miseria, dal rimorso, che non fosse suo intimo amico. *4* E se nella rete della sua amicizia cadeva uno ancora immune da colpe, le tentazioni e una quotidiana consuetudine[4] lo facevano diventare in tutto e per tutto come gli altri. *5* Ma era specialmente la compagnia dei ragazzi che ricercava; i loro animi teneri e instabili a causa degli anni erano facile preda dei suoi doli. *6* Poiché favoriva le loro passioni a seconda dell'età, e se a uno procurava baldracche, a un altro comprava cani e cavalli[5]; non badava a spese né al suo onore pur di renderli sottomessi e fedeli. *7* Qualcuno[6], io so, si spinse a ritenere che i giovani che frequentavano la casa di Catilina si curassero poco del proprio pudore; ma questa voce aveva preso corpo in conseguenza degli altri fatti, non perché si fosse mai accertato qualcosa.

XV. *1* Fin dalla prima giovinezza, Catilina aveva praticato commerci sessuali sacrileghi: con una ragazza nobile, con una sacerdotessa di Vesta[1], e altri della stessa specie contro ogni legge umana e divina. *2* Poi, come si fu innamorato di Aurelia Orestilla[2], nella quale, eccetto la bellezza, nessun uomo onesto trovò mai nulla da lodare, poiché lei esitava a sposarlo per

21

aetate, pro certo creditur necato filio vacuam domum scelestis nuptiis fecisse. [3]Quae quidem res mihi in primis videtur causa fuisse facinus maturandi. [4]Namque animus impurus, dis hominibusque infestus, neque vigiliis neque quietibus sedari poterat; ita conscientia mentem excitam vastabat. [5]Igitur colos ei exsanguis, foedi oculi, citus modo, modo tardus incessus; prorsus in facie voltuque vecordia inerat.

XVI. [1]Sed iuventutem quam, ut supra diximus, inlexerat, multis modis mala facinora edocebat. [2]Ex illis testis signatoresque falsos commodare; fidem, fortunas, pericula vilia habere; post, ubi eorum famam atque pudorem adtriverat, maiora alia imperabat. [3]Si causa peccandi in praesens minus suppetebat, nihilo minus insontis sicuti sontis circumvenire, iugulare; scilicet ne per otium torpescerent manus aut animus, gratuito potius malus atque crudelis erat. [4]His amicis sociisque confisus Catilina, simul quod aes alienum per omnis terras ingens erat, et quod plerique Sullani milites, largius suo usi, rapinarum et victoriae veteris memores, civile bellum exoptabant, opprimundae rei publicae consilium cepit. [5]In Italia nullus exercitus; Cn. Pompeius in extremis terris bellum gerebat; ipsi consulatum petenti magna spes; senatus nihil sane intentus; tutae tranquillaeque res omnes; sed ea prorsus opportuna Catilinae.

XVII. [1]Igitur circiter kalendas Iunias, L. Caesare et C. Figulo consulibus, primo singulos appellare, hortari alios, alios temptare; opes suas, inparatam rem publicam, magna praemia coniurationis docere. [2]Ubi satis explorata sunt quae voluit, in unum omnis convocat quibus maxuma necessitudo et plurumum audaciae inerat. [3]Eo convenere senatorii ordinis P. Len-

timore del figliastro già grande, si tiene per certo che egli, assassinato il ragazzo, abbia resa la casa libera per uno scellerato matrimonio. *3* Forse fu questa la principale ragione che lo indusse ad affrettare l'impresa. *4* Poiché il suo animo impuro, nemico[3] degli dei e degli uomini, non poteva trovar pace nelle veglie o nei riposi: tanto il rimorso devastava quella mente sconvolta. *5* Di qui il pallore cadaverico, torvi occhi, il passo[4] ora rapido ora lento; insomma sul volto, nell'aspetto, l'impronta della follia[5].

XVI. *1* Intanto i giovani che, come dicevo, aveva adescato, li istruiva in vari modi ad azioni delittuose. *2* Servendosi di loro forniva falsi testimoni, falsificatori di sigilli[1]; li induceva a spregiare la parola data, le ricchezze, i pericoli; poi, distrutto buon nome e onore, comandava altre più orrende cose. *3* Al momento scarseggiavano motivi di crimine? Dovevano tuttavia assalire, sgozzare, colpevoli come innocenti: piuttosto che lasciar intorpidire nell'ozio il coraggio o la mano, era efferato e malvagio senza scopo. *4* Confidando su tali alleati e amici, poiché per ogni terra erano immensi i debiti, ma anche perché molti soldati di Silla[2], sperperati troppo allegramente i propri beni, memori delle rapine e dell'antica vittoria, si auguravano la guerra civile, Catilina concepì il piano di abbattere lo Stato. *5* Nessun esercito in Italia; Gneo Pompeo impegnato in una guerra ai confini del mondo; buone speranze per la candidatura consolare; il Senato che non sospetta di nulla; tutto era calmo e tranquillo, e perciò favorevole[3].

XVII. *1* Nell'anno dunque del consolato di Lucio Cesare e Gaio Figulo[1], verso i primi di giugno[2], fa chiamare i suoi uno per uno, separatamente. Di alcuni sonda gli umori, altri li esorta; dimostra che ha degli appoggi, che lo Stato è indifeso, e che i profitti di una congiura sono immensi. *2* Quando ha compiuto le esplorazioni necessarie, convoca tutti insieme gli individui più indigenti, i più spregiudicati. *3* Dell'ordine senatorio[3] risposero all'appello Publio Lentulo Sura, Publio Au-

tulus Sura, P. Autronius, L. Cassius Longinus, C. Cethegus, P. et Ser. Sullae Ser. filii, L. Vargunteius, Q. Annius, M. Porcius Laeca, L. Bestia, Q. Curius; [4]praeterea ex equestri ordine M. Fulvius Nobilior, L. Statilius, P. Gabinius Capito, C. Cornelius; ad hoc multi ex coloniis et municipiis, domi nobiles. [5]Erant praeterea complures paulo occultius consili huiusce participes nobiles, quos magis dominationis spes hortabatur quam inopia aut alia necessitudo. [6]Ceterum iuventus pleraque, sed maxume nobilium, Catilinae inceptis favebat; quibus in otio vel magnifice vel molliter vivere copia erat, incerta pro certis, bellum quam pacem malebant. [7]Fuere item ea tempestate qui crederent M. Licinium Crassum non ignarum eius consili fuisse; quia Cn. Pompeius invisus ipsi magnum exercitum ductabat, cuiusvis opes voluisse contra illius potentiam crescere, simul confisum, si coniuratio valuisset, facile apud illos principem se fore.

XVIII. [1]Sed antea item coniuravere pauci contra rem publicam, in quibus Catilina fuit; de qua quam verissume potero dicam. [2]L. Tullo et M.' Lepido consulibus, P. Autronius et P. Sulla, designati consules, legibus ambitus interrogati, poenas dederant. [3]Post paulo Catilina pecuniarum repetundarum reus, prohibitus erat consulatum petere, quod intra legitimos dies profiteri nequiverat. [4]Erat eodem tempore Cn. Piso, adulescens nobilis, summae audaciae, egens, factiosus, quem ad perturbandam rem publicam inopia atque mali mores stimulabant. [5]Cum hoc Catilina et Autronius, circiter nonas Decembris consilio communicato, parabant in Capitolio kalendis Ianuariis L. Cottam et L. Torquatum consules interficere, ipsi fascibus correptis Pisonem cum exercitu ad optinendas duas Hispanias mittere. [6]Ea re cognita, rursus in nonas Fe-

tronio, Lucio Cassio Longino, Gaio Cetego, Publio e Servio Silla, figli di Servio, Lucio Vargunteio, Quinto Annio, Marco Porcio Leca, Lucio Bestia e Quinto Curio; 4 dell'ordine equestre[4] Marco Fulvio Nobiliore, Lucio Statilio, Publio Gabinio Capitone e Gaio Cornelio; molti, poi, provenivano dalle colonie e dai municipi[5], ed erano i maggiorenti delle loro città. 5 Partecipavano ancora al complotto, ma con un po' più di segretezza, parecchi nobili[6], spinti non tanto dalle ristrettezze e dall'indigenza quanto dalla speranza del potere. 6 Ma gran parte dei giovani, e specialmente nobili, favoriva i progetti di Catilina: avevano i mezzi per vivere splendidamente e lussuosamente, liberi da ogni impegno; ma preferivano al certo l'incerto, alla pace la guerra. 7 Qualcuno, poi, in quei giorni, pensò che Marco Licinio Crasso[7] non fosse all'oscuro del complotto: poiché Pompeo[8], che detestava, era allora a capo di un grande esercito, ed egli, Crasso, avrebbe favorito l'ascesa di chiunque pur di sminuire la potenza del suo rivale; confidava, se la congiura avesse avuto buon esito, di divenirne facilmente il capo.

XVIII. 1 Ma già tempo prima pochi uomini avevano complottato contro lo Stato e fra di essi Catilina[1]; tali fatti esporrò con il massimo scrupolo. 2 Erano consoli Lucio Tullo e Manlio Lepido, quando i consoli designati Publio Autronio e Publio Silla[2] furono processati e condannati in base alla legge sui brogli elettorali[3]. 3 Poco dopo a Catilina, accusato di concussione, era stato vietato di presentare la propria candidatura al consolato, causa lo scadere dei termini prescritti[4]. 4 C'era a quel tempo Gneo Pisone[5], giovane, nobile, turbolento, audacissimo, e ridotto in miseria, che il bisogno e la condotta sregolata incitavano a sovvertire lo Stato. 5 Verso le none di dicembre Catilina e Autronio gli comunicano il loro piano: con lui si preparavano a uccidere i consoli Lucio Cotta e Lucio Torquato in Campidoglio, alle calende di gennaio; quando si fossero impadroniti dei fasci[6], lo avrebbero inviato con un esercito a occupare le due Spagne. 6 Poiché il piano trapela,

bruarias consilium caedis transtulerant. [7]Iam tum non consulibus modo, sed plerisque senatoribus perniciem machinabantur. [8]Quod ni Catilina maturasset pro curia signum sociis dare, eo die post conditam urbem Romam pessumum facinus patratum foret. Quia nondum frequentes armati convenerant, ea res consilium diremit.

XIX. [1]Postea Piso in citeriorem Hispaniam quaestor pro praetore missus est, adnitente Crasso, quod eum infestum inimicum Cn. Pompeio cognoverat. [2]Neque tamen senatus provinciam invitus dederat, quippe foedum hominem a re publica procul esse volebat; simul, quia boni complures praesidium in eo putabant, et iam tum potentia Cn. Pompei formidulosa erat. [3]Sed is Piso in provincia ab equitibus Hispanis quos in exercitu ductabat, iter faciens occisus est. [4]Sunt qui ita dicant imperia eius iniusta, superba, crudelia barbaros nequivisse pati; [5]alii autem equites illos, Cn. Pompei veteres fidosque clientis, voluntate eius Pisonem adgressos; numquam Hispanos praeterea tale facinus fecisse, sed imperia saeva multa antea perpessos. Nos eam rem in medio relinquemus. [6]De superiore coniuratione satis dictum.

XX. [1]Catilina, ubi eos, quos paulo ante memoravi, convenisse videt, tametsi cum singulis multa saepe egerat, tamen in rem fore credens univorsos appellare et cohortari, in abditam partem aedium secedit atque ibi, omnibus arbitris procul amotis, orationem huiuscemodi habuit:

«[2]Ni virtus fidesque vostra satis spectata mihi forent, nequiquam opportuna res cecidisset; spes magna, dominatio in manibus frustra fuissent, neque ego per ignaviam aut vana ingenia incerta pro certis captarem. [3]Sed quia multis et magnis

differiscono la strage alle none di febbraio: 7 però questa volta non avrebbero trucidato solo i consoli, ma anche molti senatori. *8* E se Catilina non avesse dato prematuramente il segnale ai complici davanti alla Curia[7], quel giorno si sarebbe consumato il più scellerato fra i delitti dai tempi della fondazione. Ma non si era ancora radunato un numero sufficiente di armati: e questo fece naufragare il piano.

XIX. *1* In seguito Pisone, questore con autorità propretoria[1], fu inviato nella Spagna citeriore a istanza di Crasso, che lo sapeva nemico giurato di Gneo Pompeo. *2* Né al Senato era spiaciuto di assegnargli una provincia, ben contento di allontanare dallo Stato un uomo spregevole, e perché erano in molti, fra i benpensanti, a contare sul suo appoggio: già fin d'allora la potenza di Pompeo faceva paura. *3* Ma Pisone fu assassinato nella sua provincia dai cavalieri spagnoli che egli comandava, durante un viaggio. *4* C'è chi afferma che i barbari non ne potessero più dei suoi ordini ingiusti, superbi, crudeli; *5* altri invece che quei cavalieri, vecchi e fedeli clienti di Gneo Pompeo, avessero aggredito Pisone per ordine suo, poiché non avevano mai commesso, per l'addietro, un tale crimine, tollerando prima d'allora, al contrario, molti crudeli comandi. Io lascerò la questione in sospeso[2]. *6* Basti questo della prima congiura.

XX. *1* Catilina, come vide radunati insieme quelli che ho ricordato poco fa, malgrado si fosse più volte intrattenuto a lungo con ciascuno di essi, poiché riteneva opportuno rivolgere un appello e un incitamento a tutti insieme, si ritirò in un luogo appartato della sua abitazione; qui, allontanato ogni altro testimone, tenne loro un discorso di questo tenore[1]:

2 «Se non avessi conosciuto per prova il valore e la lealtà vostra, invano si sarebbe presentata un'occasione favorevole, inutilmente questa grande speranza, il potere ormai a portata di mano; e io non andrei in cerca dell'incerto per il certo con uomini ignavi o pusillanimi. *3* Ma poiché in molti e gravi

tempestatibus vos cognovi fortis fidosque mihi, eo animus ausus est maxumum atque pulcherrumum facinus incipere, simul quia vobis eadem quae mihi bona malaque esse intellexi: [4]nam idem velle atque idem nolle, ea demum firma amicitia est.

«[5]Sed ego quae mente agitavi omnes iam antea divorsi audistis. [6]Ceterum mihi in dies magis animus accenditur, cum considero quae condicio vitae futura sit, nisi nosmet ipsi vindicamus in libertatem. [7]Nam postquam res publica in paucorum potentium ius atque dicionem concessit, semper illis reges, tetrarchae vectigales esse, populi, nationes stipendia pendere; ceteri omnes, strenui, boni, nobiles atque ignobiles, volgus fuimus sine gratia, sine auctoritate, eis obnoxii quibus, si res publica valeret, formidini essemus. [8]Itaque omnis gratia, potentia, honos, divitiae apud illos sunt aut ubi illi volunt; nobis reliquere repulsas, pericula, iudicia, egestatem. [9]Quae quousque tandem patiemini, o fortissumi viri? Nonne emori per virtutem praestat quam vitam miseram atque inhonestam, ubi alienae superbiae ludibrio fueris, per dedecus amittere? [10]Verum enim vero, pro deum atque hominum fidem, victoria in manu nobis est. Viget aetas, animus valet; contra illis annis atque divitiis omnia consenuerunt. Tantum modo incepto opus est; cetera res expediet. [11]Etenim quis mortalium, cui virile ingenium est, tolerare potest illis divitias superare quas profundant in exstruendo mari et montibus coaequandis, nobis rem familiarem etiam ad necessaria deesse? illos binas aut amplius domos continuare, nobis larem familiarem nusquam ullum esse? [12]Cum tabulas, signa, toreumata emunt, nova diruunt, alia aedificant, postremo omnibus modis pecuniam trahunt, vexant, tamen summa lubidine divitias suas vincere nequeunt. [13]At nobis est domi inopia, foris aes alienum, mala

frangenti io vi ho conosciuti come uomini forti e coraggiosi, l'animo mio perciò ha osato concepire un'impresa colossale e bellissima; ma anche perché ho capito che noi dividiamo i medesimi beni e i medesimi mali: *4* su questo, infatti, riposa il fondamento dell'amicizia[2], volere e non volere le medesime cose.

5 «Ma tutti già prima, separatamente, avete udito i miei progetti. *6* E ogni giorno di più il mio animo s'infiamma, quando penso quale sarà la condizione della nostra vita se da noi, da noi, da noi non riscattiamo la nostra libertà[3]. *7* Poiché, dopo che lo Stato è caduto sotto la potestà e il dominio di pochi potenti, sempre a essi sono tributari re e tetrarchi[4], per essi genti e popoli pagano le imposte; gli altri, noi tutti, valorosi, virtuosi, nobili e non nobili, siamo stati volgo, senza influenza, senza autorità, soggetti a gente cui, se esistesse veramente uno Stato, dovremmo incutere timore. *8* Così influenza, potenza, cariche pubbliche, ricchezze sono interamente nelle loro mani, o dove loro vogliono; a noi hanno lasciato solo i pericoli, i processi, le sconfitte elettorali, la miseria. *9* Fino a quando lo sopporterete[5]? Siete uomini di grande coraggio: non è meglio morire con onore piuttosto che perdere ingloriosamente una vita infelice e oscura, fatti ludibrio dell'altrui insolenza? *10* Ma io chiamo a testimoni uomini e dei che la vittoria è a portata di mano: siamo giovani, forti, potenti; in loro, invece, tutto si è fatto decrepito con gli anni e con le ricchezze. Dobbiamo solo cominciare; il resto verrà da sé. *11* Chi infatti fra i mortali, se è davvero un uomo, può tollerare che essi anneghino nelle ricchezze, profuse interrando mari, spianando montagne, e a noi manchi perfino il necessario? Che incolonnino un palazzo dopo l'altro, mentre noi non abbiamo nemmeno un focolare da nessuna parte? *12* Perché potrebbero anche comprare quadri, statue, vasellame cesellato, demolire edifici nuovi, innalzarne degli altri, spendere e spandere in ogni maniera: anche con i più sfrenati capricci, non potrebbero mai dar fondo alle loro ricchezze. *13* Ma per noi la miseria in casa, i debiti fuori; un presente buio, un do-

res, spes multo asperior; denique, quid relicui habemus, praeter miseram animam?

«[14]Quin igitur expergiscimini? En illa, illa quam saepe optastis, libertas; praeterea divitiae, decus, gloria in oculis sita sunt; fortuna omnia ea victoribus praemia posuit. [15]Res, tempus, pericula, egestas, belli spolia magnifica magis quam oratio mea vos hortantur. [16]Vel imperatore vel milite me utimini; neque animus neque corpus a vobis aberit. [17]Haec ipsa, ut spero, vobiscum una consul agam, nisi forte me animus fallit et vos servire magis quam imperare parati estis.»

XXI. [1]Postquam accepere ea homines, quibus mala abunde omnia erant, sed neque res neque spes bona ulla, tametsi illis quieta movere magna merces videbatur, tamen postulavere plerique ut proponeret quae condicio belli foret, quae praemia armis peterent, quid ubique opis aut spei haberent. [2]Tum Catilina polliceri tabulas novas, proscriptionem locupletium, magistratus, sacerdotia, rapinas, alia omnia quae bellum atque lubido victorum fert. [3]Praeterea esse in Hispania citeriore Pisonem, in Mauretania cum exercitu P. Sittium Nucerinum, consili sui participes; petere consulatum C. Antonium, quem sibi collegam fore speraret, hominem et familiarem et omnibus necessitudinibus circumventum; cum eo se consulem initium agendi facturum. [4]Ad hoc maledictis increpabat omnis bonos; suorum unumquemque nominans laudare; admonebat alium egestatis, alium cupiditatis suae, complures periculi aut ignominiae, multos victoriae Sullanae, quibus ea praedae fuerat. [5]Postquam omnium animos alacris videt, cohortatus ut petitionem suam curae haberent, conventum dimisit.

mani ancora più duro: cosa ci resta? solo una vita indegna, miserabile.

14 «Cosa aspettate a destarvi? Eccola la libertà, la libertà tanto invocata; e ricchezze, onore, gloria: stanno dinanzi ai vostri occhi, sono i premi che la fortuna ha stabilito per i vincitori. *15* Più della mia orazione vi esortano le circostanze, l'occasione, i pericoli, la miseria, e le splendide spoglie di guerra. *16* Prendetemi come capo e come soldato[6]: sarò con voi anima e corpo. *17* Queste cose, spero, le farò con voi da console, a meno che il mio animo non s'illuda e che voi siate più propensi a servire che a comandare.»

XXI. *1* Avevano appena udito queste cose uomini gravati da ogni sorta di mali, ma senza alcun presente, nessuna prospettiva, e benché a essi paresse già un gran guadagno turbare l'ordine costituito, furono ugualmente in molti a pretendere dei chiarimenti sulla condotta della guerra, le ricompense a cui potevano aspirare combattendo, le speranze di successo, le forze in campo, la loro dislocazione. *2* Catilina prometteva allora la cancellazione di ogni debito[1], la proscrizione[2] dei ricchi, magistrature, cariche sacerdotali, saccheggi, e tutto ciò che la guerra e l'avidità dei vincitori portano con sé. *3* Aggiungeva che erano a parte del suo progetto Pisone[3] nella Spagna citeriore, Publio Sizzio Nocerino[4] in Mauritania, entrambi con un esercito; e che presentava la sua candidatura al consolato Gaio Antonio[5], suo intimo amico, assillato da difficoltà di ogni genere. Sperava di averlo come collega, e di dare inizio con lui, dopo aver raggiunto il consolato, all'impresa. *4* Poi passava a ingiuriare tutti gli ottimati; prendeva a encomiare i suoi uno per uno, citandoli per nome: a uno ricordava la sua povertà, a quello la sua cupidigia, a molti il rischio di essere processati, l'infamia della condanna; ma a parecchi rammentava la vittoria di Silla, e il bottino che aveva loro procurato. *5* Non appena li vide tutti ben caricati, dopo averli esortati a sostenere la sua candidatura, sciolse l'assemblea.

XXII. [1]Fuere ea tempestate qui dicerent Catilinam, oratione habita, cum ad iusiurandum popularis sceleris sui adigeret, humani corporis sanguinem vino permixtum in pateris circumtulisse; [2]inde cum post exsecrationem omnes degustavissent, sicuti in sollemnibus sacris fieri consuevit, aperuisse consilium suum, atque eo † dictitare † fecisse quo inter se fidi magis forent, alius alii tanti facinoris conscii. [3]Nonnulli ficta et haec et multa praeterea existumabant ab eis qui Ciceronis invidiam, quae postea orta est, leniri credebant atrocitate sceleris eorum qui poenas dederant. [4]Nobis ea res pro magnitudine parum comperta est.

XXIII. [1]Sed in ea coniuratione fuit Q. Curius, natus haud obscuro loco, flagitiis atque facinoribus coopertus, quem censores senatu probri gratia moverant. [2]Huic homini non minor vanitas inerat quam audacia; neque reticere quae audierat, neque suamet ipse scelera occultare, prorsus neque dicere neque facere quicquam pensi habebat. [3]Erat ei cum Fulvia, muliere nobili, stupri vetus consuetudo; cui cum minus gratus esset quia inopia minus largiri poterat, repente glorians, maria montisque polliceri coepit, et minari interdum ferro, ni sibi obnoxia foret; postremo ferocius agitare quam solitus erat. [4]At Fulvia, insolentiae Curi causa cognita, tale periculum rei publicae haud occultum habuit, sed sublato auctore de Catilinae coniuratione quae quoque modo audierat compluribus narravit. [5]Ea res in primis studia hominum accendit ad consulatum mandandum M. Tullio Ciceroni. [6]Namque antea pleraque nobilitas invidia aestuabat, et quasi pollui consulatum credebant, si eum quamvis egregius homo novos adeptus foret. Sed ubi periculum advenit, invidia atque superbia post fuere.

XXII. *1* Narrarono alcuni a quel tempo che Catilina, finito il suo discorso, volendo spingere al giuramento i compagni del suo delitto, fece girare delle tazze con dentro sangue umano misto a vino[1]: *2* quando tutti ne ebbero bevuto, dopo aver pronunciato le formule di esecrazione[2], come avviene di solito nelle solenni cerimonie, svelò il suo piano; e agì in quel modo per renderli più uniti tra di loro dopo averli messi a parte di un così scellerato progetto. *3* Non pochi ritenevano che queste storie e molte altre ancora fossero invenzione di chi si proponeva di attenuare l'ostilità contro Cicerone, che poi sorse, con l'atrocità del delitto di quanti furono giustiziati[3]. *4* Data la sua enormità, la cosa a me sembra poco attendibile[4].

XXIII. *1* C'era dunque tra i congiurati un certo Quinto Curio[1], di non oscuri natali, coperto di vergogne e di delitti, che i censori avevano radiato dal Senato per indegnità. *2* Non meno leggero che audace, era incapace di tacere ciò che aveva udito, di occultare i suoi stessi crimini; né si dava mai pensiero di quel che diceva o faceva. *3* Coltivava da tempo una relazione sessuale con Fulvia[2], una dama dell'aristocrazia. Vedendosi da lei meno gradito poiché, a causa delle ristrettezze, poteva meno largheggiare, d'un tratto si fece vanaglorioso, cominciò a promettere mari e monti, minacciandola talvolta con la spada se non fosse stata arrendevole con lui, infine a comportarsi anche più brutalmente del solito. *4* Ma Fulvia, quando ebbe conosciuta la ragione della sua insolenza, non tenne occulto un tale pericolo per lo Stato: taceva il nome dell'informatore, ma raccontò a molti ciò che sapeva sulla congiura di Catilina, e il modo in cui l'aveva appreso. *5* Fu questa rivelazione soprattutto ad accendere negli animi il desiderio di affidare il consolato a Marco Tullio Cicerone. *6* E infatti prima la maggior parte dei nobili ribolliva di gelosia, e riteneva che il consolato venisse quasi profanato se un uomo nuovo[3], anche se di valore, lo avesse conseguito. Ma quando il pericolo si annunciò, gelosia e superbia passarono in seconda linea.

XXIV. ¹Igitur comitiis habitis, consules declarantur M. Tullius et C. Antonius; quod factum primo popularis coniurationis concusserat. ²Neque tamen Catilinae furor minuebatur, sed in dies plura agitare, arma per Italiam locis opportunis parare, pecuniam sua aut amicorum fide sumptam mutuam Faesulas ad Manlium quemdam portare, qui postea princeps fuit belli faciundi. ³Ea tempestate plurimos cuiusque generis homines adscivisse sibi dicitur, mulieres etiam aliquot, quae primo ingentis sumptus stupro corporis toleraverant, post, ubi aetas tantummodo quaestui neque luxuriae modum fecerat, aes alienum grande conflaverant. ⁴Per eas se Catilina credebat posse servitia urbana sollicitare, urbem incendere, viros earum vel adiungere sibi vel interficere.

XXV. ¹Sed in is erat Sempronia, quae multa saepe virilis audaciae facinora commiserat. ²Haec mulier genere atque forma, praeterea viro liberis satis fortunata fuit; litteris Graecis et Latinis docta, psallere, saltare elegantius quam necesse est probae, multa alia, quae instrumenta luxuriae sunt. ³Sed ei cariora semper omnia quam decus atque pudicitia fuit; pecuniae an famae minus parceret haud facile discerneres; lubido sic accensa ut saepius peteret viros quam peteretur. ⁴Sed ea saepe antehac fidem prodiderat, creditum abiuraverat, caedis conscia fuerat, luxuria atque inopia praeceps abierat. ⁵Verum ingenium eius haud absurdum: posse versus facere, iocum movere, sermone uti vel modesto, vel molli, vel procaci; prorsus multae facetiae multusque lepos inerat.

XXVI. ¹His rebus conparatis, Catilina nihilo minus in proxumum annum consulatum petebat, sperans, si designatus foret, facile se ex voluntate Antonio usurum. Neque interea

XXIV. *1* Dunque alle elezioni vennero proclamati consoli Marco Tullio e Gaio Antonio, cosa che sulle prime sconcertò i congiurati. *2* Però non s'allentava in Catilina il furore; anzi ogni giorno di più ordiva nuovi progetti: depositava armi per l'Italia in luoghi strategici, recava a Fiesole a favore di un certo Manlio[1], che fu poi il primo a dichiararsi per la guerra, denaro preso a prestito dietro garanzia sua o di amici. *3* A quel tempo, si racconta, si aggregarono a lui uomini di ogni risma, e perfino donne che all'inizio avevano fatto fronte a spese rovinose facendo commercio del proprio corpo, e che più tardi, quando gli anni avevano posto un freno ai guadagni ma non alla loro smania di lusso, si erano indebitate fino al collo. *4* Contava su di esse Catilina per sollevare gli schiavi urbani, incendiare la città, assoldare i loro mariti, in caso contrario ucciderli.

XXV. *1* E fra di loro c'era Sempronia[1], che aveva più volte compiuto azioni temerarie degne di un uomo. *2* La fortuna l'aveva molto favorita: nobiltà, bellezza, matrimonio, figli. Era colta in lettere greche e latine, suonava la cetra, danzava con più grazia di quanto sia richiesto a una donna virtuosa; ed era esperta di molte altre arti che sanno suscitare i piaceri[2]. *3* Se non che tutto le era più caro del pudore e del ritegno, e nessuno era in grado di dire se facesse meno caso del denaro o della reputazione; lasciva al punto da cercare gli uomini più spesso di quanto non fosse cercata. *4* In passato, aveva spesso tradito un segreto, negato un debito con falsi giuramenti; ed era stata complice di omicidi: la vita lussuosa e la mancanza di mezzi l'avevano precipitata in rovina. *5* Eppure non aveva un ingegno volgare: sapeva comporre versi, essere divertente, conversare in modo ora riservato, ora insinuante, ora sfrontato; era una donna di molto spirito e di grande fascino.

XXVI. *1* Compiuti questi preparativi, Catilina chiedeva tuttavia il consolato per l'anno successivo[1]: pensava, se fosse stato eletto, di poter manovrare Antonio[2] a suo piacimento.

quietus erat, sed omnibus modis insidias parabat Ciceroni.
²Neque illi tamen ad cavendum dolus aut astutiae deerant.
³Namque a principio consulatus sui multa pollicendo per Fulviam effecerat ut Q. Curius, de quo paulo ante memoravi, consilia Catilinae sibi proderet. ⁴Ad hoc collegam suum Antonium pactione provinciae perpulerat ne contra rem publicam sentiret; circum se praesidia amicorum atque clientium occulte habebat. ⁵Postquam dies comitiorum venit, et Catilinae neque petitio neque insidiae quas consulibus in Campo fecerat prospere cessere, constituit bellum facere et extrema omnia experiri, quoniam quae occulte temptaverat aspera foedaque evenerant.

XXVII. ¹Igitur C. Manlium Faesulas atque in eam partem Etruriae, Septimium quemdam Camertem in agrum Picenum, C. Iulium in Apuliam dimisit; praeterea alium alio, quem ubique opportunum sibi fore credebat. ²Interea Romae multa simul moliri, consulibus insidias tendere, parare incendia, opportuna loca armatis hominibus obsidere, ipse cum telo esse, item alios iubere, hortari uti semper intenti paratique essent, dies noctisque festinare, vigilare, neque insomniis neque labore fatigari. ³Postremo, ubi multa agitanti nihil procedit, rursus intempesta nocte coniurationis principes convocat per M. Porcium Laecam, ibique multa de ignavia eorum questus, docet se Manlium praemisisse ad eam multitudinem quam ad capiunda arma paraverat, item alios in alia loca opportuna, qui initium belli facerent, seque ad exercitum proficisci cupere, si prius Ciceronem oppressisset; eum suis consiliis multum officere.

XXVIII. ¹Igitur perterritis ac dubitantibus ceteris C. Cornelius, eques Romanus, operam suam pollicitus, et cum eo L. Vargunteius senator constituere ea nocte paulo post cum ar-

Né intanto se ne stava in pace, ma in mille modi macchinava[3] contro Cicerone. *2* Né a questi d'altra parte mancavano accorgimenti e astuzie per difendersi. *3* Fin dall'inizio del suo consolato, con molte promesse, aveva ottenuto attaverso Fulvia che Quinto Curio, di cui ho parlato poco fa, gli rivelasse i piani di Catilina; *4* con un cambio di provincia aveva indotto il collega Antonio a non tramare contro lo Stato; e si era circondato in gran segreto di una scorta armata di amici e di clienti[4]. *5* Come sopraggiunse il giorno dei comizi[5], e né la candidatura né gli attentati ai consoli nel Campo[6] ebbero buon esito, Catilina decise di passare alla guerra aperta e di ricorrere a mezzi estremi, poiché i suoi tentativi occulti erano sfociati nel disastro e nell'umiliazione.

XXVII. *1* Spedì a Fiesole e in quella parte d'Etruria Gaio Manlio, un certo Settimio da Camerino nel Piceno, Gaio Giulio[1] in Puglia, altri altrove, dove credeva gli servissero meglio. *2* E macchina a Roma, intanto: ordisce agguati ai consoli, prepara incendi, pone presidi di uomini armati nei luoghi strategici[2]; gira armato, ordina agli altri di fare lo stesso, li incita a star sempre in guardia e a tenersi pronti; attivo giorno e notte, sempre all'erta, mai fiaccato né dalle veglie né dalle fatiche. *3* Infine, poiché le cose non procedevano affatto nonostante i suoi sforzi, nel cuore della notte torna a convocare i capi della congiura in casa di Marco Porcio Leca[3]: a lungo deplora la loro inerzia, poi li informa di aver mandato avanti Manlio a prendere il comando degli uomini che aveva addestrato alle armi, e altri ancora in luoghi opportuni, con l'ordine di dare il via alla guerra; ardeva anch'egli di raggiungere l'esercito, ma non prima di aver tolto di mezzo Cicerone: quell'uomo, con i suoi provvedimenti, costituiva un grave ostacolo.

XXVIII. *1* Erano tutti sgomenti e confusi, quando si offerse un cavaliere romano di nome Gaio Cornelio, seguito dal senatore Lucio Vargunteio[1]: avevano deciso con l'aiuto di uo-

matis hominibus sicuti salutatum introire ad Ciceronem, ac de improviso domi suae imparatum confodere. [2]Curius ubi intellegit quantum periculum consuli impendeat, propere per Fulviam Ciceroni dolum qui parabatur enuntiat. [3]Ita illi ianua prohibiti tantum facinus frustra susceperant.

[4]Interea Manlius in Etruria plebem sollicitare egestate simul ac dolore iniuriae novarum rerum cupidam, quod Sullae dominatione agros bonaque omnia amiserat, praeterea latrones cuiusque generis, quorum in ea regione magna copia erat, nonnullos ex Sullanis colonis, quibus lubido atque luxuria ex magnis rapinis nihil relicui fecerat.

XXIX. [1]Ea cum Ciceroni nuntiarentur, ancipiti malo permotus, quod neque urbem ab insidiis privato consilio longius tueri poterat, neque exercitus Manli quantus aut quo consilio foret satis compertum habebat, rem ad senatum refert, iam antea volgi rumoribus exagitatam. [2]Itaque, quod plerumque in atroci negotio solet, senatus decrevit darent operam consules ne quid res publica detrimenti caperet. [3]Ea potestas per senatum more Romano magistratui maxuma permittitur, exercitum parare, bellum gerere, coercere omnibus modis socios atque civis, domi militiaeque imperium atque iudicium summum habere; aliter sine populi iussi nullius earum rerum consuli ius est.

XXX. [1]Post paucos dies L. Saenius senator in senatu litteras recitavit, quas Faesulis adlatas sibi dicebat, in quibus scriptum erat C. Manlium arma cepisse cum magna multitudi-

mini armati di recarsi di lì a poco, quella stessa notte, da Cicerone, con la scusa di salutarlo, e di trucidarlo all'improvviso in casa sua, prendendolo di sorpresa. 2 Curio, rendendosi conto del pericolo che sovrasta il console, tramite Fulvia lo fa avvertire in tutta fretta dell'attentato. 3 Gli assassini furono bloccati sull'ingresso; così fu vanificata la paurosa impresa di cui si erano assunti l'impegno.

4 Ma intanto, in Etruria, Manlio andava sobillando la plebe, smaniosa di rivolgimenti a causa della miseria e del risentimento per le iniquità subite, poiché sotto la dittatura di Silla avevano perduto tutto, terre e averi; reclutava anche banditi di ogni risma, molto diffusi in quella regione, e diversi coloni sillani, ai quali, a causa della vita viziosa e dissipata, non era rimasto più niente di tutto quanto avevano depredato.

XXIX. *1* Giunsero a Cicerone queste notizie, ed egli si sentì doppiamente turbato: poiché vedeva di non potere più a lungo proteggere la città con le sue sole forze, né era in grado di appurare con esattezza l'entità e i piani dell'esercito di Manlio. Allora decise di portare in Senato[1] la questione, su cui giravano ormai voci di ogni tipo. *2* Secondo la prassi consueta nei momenti di grave pericolo, il Senato con un decreto diede incarico ai consoli di «provvedere affinché la repubblica non subisse alcun danno»[2]. *3* Era questo, secondo la legge romana, il potere più ampio che il Senato potesse accordare a un magistrato: dava facoltà di approntare un esercito, di far guerra, di ridurre con ogni mezzo all'obbedienza cittadini e alleati, di esercitare in guerra e in pace il supremo potere militare e civile. Diversamente, senza deliberazione del popolo, il console non ha diritto di prendere nessuno di questi provvedimenti.

XXX. *1* Pochi giorni dopo il senatore Lucio Senio[1] lesse in Senato una lettera dicendo che gli era stata recapitata da Fiesole; vi era scritto che Gaio Manlio aveva preso le armi con

ne ante diem VI kalendas Novembris. ²Simul, id quod in tali re solet, alii portenta atque prodigia nuntiabant, alii conventus fieri, arma portari, Capuae atque in Apulia servile bellum moveri.

³Igitur senati decreto Q. Marcius Rex Faesulas, Q. Metellus Creticus in Apuliam circumque ea loca missi – ⁴i utrique ad urbem imperatores erant, impediti ne triumpharent calumnia paucorum quibus omnia honesta atque inhonesta vendere mos erat –, ⁵sed praetores Q. Pompeius Rufus Capuam, Q. Metellus Celer in agrum Picenum, eisque permissum uti pro tempore atque periculo exercitum conpararent. ⁶Ad hoc, si quis indicavisset de coniuratione quae contra rem publicam facta erat, praemium servo libertatem et sestertia centum, libero inpunitatem eius rei et sestertia ducenta [milia]; ⁷itemque decrevere uti gladiatoriae familiae Capuam et in cetera municipia distribuerentur pro cuiusque opibus, Romae per totam urbem vigiliae haberentur eisque minores magistratus praeessent.

XXXI. ¹Quibus rebus permota civitas atque inmutata urbis facies erat. Ex summa laetitia atque lascivia, quae diuturna quies pepererat, repente omnis tristitia invasit: ²festinare, trepidare, neque loco nec homini cuiquam satis credere, neque bellum gerere neque pacem habere, suo quisque metu pericula metiri. ³Ad hoc mulieres, quibus rei publicae magnitudine belli timor insolitus incesserat, adflictare sese, manus supplicis ad caelum tendere, miserari parvos liberos, rogitare, omnia pavere, superbia atque deliciis omissis sibi patriaeque diffidere.

⁴At Catilinae crudelis animus eadem illa movebat, tametsi praesidia parabantur et ipse lege Plautia interrogatus erat ab

un grande numero di uomini il sesto giorno prima delle calende di novembre[2]. 2 Nello stesso tempo, come accade di solito in questi casi, alcuni annunciavano portenti e prodigi[3], altri assembramenti di truppe, trasporto d'armi, sollevazioni di schiavi[4] a Capua e in Puglia.

3 Allora, per decreto del Senato, Quinto Marcio Re[5] fu inviato a Fiesole, Quinto Metello Cretico[6] in Puglia e nei territori adiacenti: entrambi generali vittoriosi alle porte di Roma[7], 4 entrambi privati del trionfo per le calunnie di pochi abituati a far commercio di tutto, dell'onesto e del disonesto. 5 I pretori Quinto Pompeo Rufo e Quinto Metello Celere[8] furono invece mandati il primo a Capua, il secondo nel Piceno, con l'incarico di allestire un esercito in base al pericolo e alle circostanze. 6 Oltre a ciò, chiunque avesse fornito informazioni sulla congiura ordita contro lo Stato, avrebbe ricevuto, se schiavo la libertà e centomila sesterzi, se libero l'impunità e duecentomila sesterzi; 7 fu anche decretato che le compagnie di gladiatori[9] fossero distribuite fra Capua e gli altri municipi a seconda dei mezzi disponibili, e che per tutta la città di Roma venissero disposte squadre di vigilanza agli ordini dei magistrati minori[10].

XXXI. 1 La popolazione era sconvolta da queste notizie; l'aspetto della città mutato. Dopo l'allegria e la spensieratezza assicurate da un lungo periodo di pace[1], dilagò improvvisa una generale mestizia: 2 era tutto un affrettarsi, un incessante ondeggiare, un diffidare di ogni luogo e persona; non si era in guerra ma nemmeno in pace; ciascuno misurava i pericoli dal proprio timore. 3 Le donne, poi, che la potenza dello Stato aveva disabituato alla paura, si percuotevano il petto, ergevano supplici al cielo le mani, compassionavano i figlioletti: facevano domande su tutto, terrorizzate da qualsiasi voce; deposto ogni orgoglio, trascurato ogni piacere, disperavano di sé e della patria.

4 Né desisteva il crudele animo di Catilina dai suoi fini, benché venissero allestite le opere di difesa ed egli fosse stato

L. Paulo. [5]Postremo, dissimulandi causa aut sui expurgandi, sicu*bi* iurgio lacessitus foret, in senatum venit. [6]Tum M. Tullius consul, sive praesentiam eius timens, sive ira commotus, orationem habuit luculentam atque utilem rei publicae, quam postea scriptam edidit. [7]Sed ubi ille adsedit, Catilina, ut erat paratus ad dissimulanda omnia, demisso voltu, voce supplici postulare a patribus coepit ne quid de se temere crederent; ea familia ortum, ita se ab adulescentia vitam instituisse ut omnia bona in spe haberet; ne existumarent sibi patricio homini, cuius ipsius atque maiorum pluruma beneficia in plebem Romanam essent, perdita re publica opus esse, cum eam servaret M. Tullius, inquilinus civis urbis Romae. [8]Ad hoc maledicta alia cum adderet, obstrepere omnes, hostem atque parricidam vocare. [9]Tum ille furibundus: «Quoniam quidem circumventus, inquit, ab inimicis praeceps agor, incendium meum ruina restinguam».

XXXII. [1]Deinde se ex curia domum proripuit. Ibi multa ipse secum volvens, quod neque insidiae consuli procedebant et ab incendio intellegebat urbem vigiliis munitam, optumum factu credens exercitum augere ac, prius quam legiones scriberentur, multa antecapere quae bello ussi forent, nocte intempesta cum paucis in Manliana castra profectus est. [2]Sed Cethego atque Lentulo ceterisque quorum cognoverat promptam audaciam mandat quibus rebus possent opes factionis confirment, insidias consuli maturent, caedem, incendia aliaque belli facinora parent: sese prope diem cum magno exercitu ad urbem accessurum.

[3]Dum haec Romae geruntur, C. Manlius ex suo numero le-

messo sotto accusa da Lucio Paolo[2] in base alla legge Plozia[3]. 5 Finché, con l'intento di dissimulare, o forse di discolparsi, con l'atteggiamento di chi sia stato provocato durante un alterco, si recò in Senato. 6 Fu allora che il console Marco Tullio, forse perché temeva la sua presenza, o perché mosso dallo sdegno, pronunciò un'orazione splendida e utile alla repubblica, che poi scrisse e pubblicò[4]. 7 Ma dopo che il console si mise a sedere, Catilina, già preparato a negare tutto, a volto chino e con voce implorante prese a scongiurare i senatori di non prestar fede con leggerezza a ciò che su di lui si andava dicendo: la famiglia dalla quale discendeva, la condotta tenuta fin da giovane lo inducevano a sperare ogni bene; come potevano pensare che egli, un patrizio il quale tante volte, al pari dei suoi avi, aveva beneficato il popolo romano, avesse bisogno di mandare in rovina lo Stato, e che invece lo salvasse Marco Tullio, un inquilino[5] della città di Roma? 8 E poiché a questa aveva aggiunto nuove ingiurie, tutti a strepitare: lo chiamavano nemico, assassino della patria. 9 Egli allora, furibondo, «poiché – esclamò – circondato da nemici vengo spinto nel precipizio, estinguerò il mio incendio in una immensa rovina»[6].

XXXII. 1 Poi dalla Curia si precipitò a casa[1]. Mentre era agitato da diversi pensieri, poiché gli attentati al console erano falliti e si rendeva conto che la città era stata protetta contro gli incendi da squadre di vigilanza, ritenendo che la cosa migliore fosse rafforzare l'esercito e predisporre in anticipo le misure utili alla guerra prima che le legioni fossero arruolate, partì nel cuor della notte con pochi uomini per l'accampamento di Manlio. 2 Però a Cetego, a Lentulo e agli altri, di cui conosceva l'animo risoluto, affidò il compito di accrescere con ogni mezzo le forze del partito, di affrettare gli attentati contro il console, di preparare il massacro, gli incendi, e le altre atrocità della guerra: di lì a poco avrebbe marciato sulla città con un grande esercito.

3 Mentre a Roma si svolgono tali fatti, Gaio Manlio manda

gatos ad Marcium Regem mittit cum mandatis huiuscemodi:

XXXIII. «[1]Deos hominesque testamur, imperator, nos arma neque contra patriam cepisse, neque quo periculum aliis faceremus, sed uti corpora nostra ab iniuria tuta forent, qui miseri, egentes, violentia atque crudelitate feneratorum plerique patria sed<e>, omnes fama atque fortunis expertes sumus; neque cuiquam nostrum licuit more maiorum lege uti, neque amisso patrimonio liberum corpus habere: tanta saevitia feneratorum atque praetoris fuit. [2]Saepe maiores vostrum, miseriti plebis Romanae, decretis suis inopiae eius opitulati sunt; ac novissume memoria nostra propter magnitudinem aeris alieni volentibus omnibus bonis argentum aere solutum est. [3]Saepe ipsa plebs, aut dominandi studio permota aut superbia magistratuum, armata a patribus secessit. [4]At nos non imperium neque divitias petimus, quarum rerum causa bella atque certamina omnia inter mortalis sunt, sed libertatem, quam nemo bonus nisi cum anima simul amittit. [5]Te atque senatum obtestamur, consulatis miseris civibus, legis praesidium, quod iniquitas praetoris eripuit, restituatis, neve nobis eam necessitudinem inponatis ut quaeramus quonam modo maxume ulti sanguinem nostrum pereamus.»

XXXIV. [1]Ad haec Q. Marcius respondit, si quid ab senatu petere vellent, ab armis discedant, Romam supplices proficiscantur; ea mansuetudine atque misericordia senatum populi Romani semper fuisse, ut nemo umquam ab eo frustra auxilium petiverit. [2]At Catilina ex itinere plerisque consularibus, praeterea optumo cuique litteras mittit, se falsis criminibus circumventum, quoniam factioni inimicorum resistere nequiverit, fortunae cedere, Massiliam in exilium pro-

una delegazione di suoi uomini a Marcio Re, con un messaggio di questo genere:

XXXIII. *1* «Chiamiamo a testimoni dei e uomini, o vittorioso[1], che non abbiamo preso le armi né contro la patria né per nuocere ad altri, ma per tutelare le nostre persone dall'ingiustizia: infelici, indigenti per la violenza e crudeltà degli usurai, quasi tutti siamo stati privati della patria, della dimora; tutti della reputazione e degli averi. A nessuno di noi è stato concesso, secondo l'uso degli avi, di valersi della legge e di conservare libera la persona, quando il patrimonio era perduto: tanta fu la ferocia degli usurai e del pretore[2]. *2* Spesso i vostri avi, mossi a compassione della plebe romana, con loro decreti posero rimedio alla sua povertà; e ultimamente, ai giorni nostri, a causa dell'enormità dei debiti, per volere unanime di tutti i buoni cittadini, l'argento è stato pagato con il bronzo[3]. *3* Spesso questa stessa plebe, o per brama di potere, o perché esasperata dall'arroganza dei magistrati, si separò in armi dai patrizi[4]. *4* Ma noi non chiediamo potere né ricchezze, causa da sempre di guerre e di conflitti tra gli esseri umani, ma la libertà, la libertà che un vero uomo non perde, se non insieme con la vita. *5* Scongiuro te e il Senato: provvedete agli infelici cittadini, rendete loro la tutela della legge, che l'ingiustizia del pretore ci ha strappato; non costringeteci a cercare come morire dopo aver vendicato a caro prezzo il nostro sangue.»

XXXIV. *1* Rispose Quinto Marcio che, se intendevano presentare una richiesta al Senato, dovevano deporre le armi e recarsi supplici a Roma; che il Senato del popolo romano si era sempre dimostrato mite e misericordioso, e che nessuno mai gli si era rivolto invano per aiuto. *2* Ma Catilina, lungo il viaggio, invia una lettera a gran parte degli ex consoli[1] e a tutte le personalità più eminenti: soffocato da false accuse, poiché non poteva più resistere alla fazione dei suoi nemici, egli cedeva alla sorte, se ne andava in esilio a Marsiglia[2]. Non

45

ficisci, non quo sibi tanti sceleris conscius esset, sed uti res publica quieta foret neve ex sua contentione seditio oreretur. ³Ab his longe divorsas litteras Q. Catulus in senatu recitavit, quas sibi nomine Catilinae redditas dicebat. Earum exemplum infra scriptum est.

XXXV. «¹L. Catilina Q. Catulo. Egregia tua fides re cognita, grata mihi magnis in meis periculis, fiduciam commendationi meae tribuit. ²Quam ob rem defensionem in novo consilio non statui parare, satisfactionem ex nulla conscientia de culpa proponere decrevi, quam me dius fidius veram licet cognoscas. ³Iniuriis contumeliisque concitatus, quod fructu laboris industriaeque meae privatus statum dignitatis non obtinebam, publicam miserorum causam pro mea consuetudine suscepi; non quin aes alienum meis nominibus ex possessionibus solvere possem – et alienis nominibus liberalitas Orestillae suis filiaeque copiis persolveret – sed quod non dignos homines honore honestatos videbam, meque falsa suspicione alienatum esse sentiebam. ⁴Hoc nomine satis honestas pro meo casu spes relicuae dignitatis conservandae sum secutus. ⁵Plura cum scribere vellem, nuntiatum est vim mihi parari. ⁶Nunc Orestillam commendo tuaeque fidei trado; eam ab iniuria defendas, per liberos tuos rogatus. Haveto.»

XXXVI. ¹Sed ipse paucos dies commoratus apud C. Flaminium in agro Arretino, dum vicinitatem antea sollicitatam armis exornat, cum fascibus atque aliis imperi insignibus in castra ad Manlium contendit. ²Haec ubi Romae comperta sunt, senatus Catilinam et Manlium hostis iudicat, ceterae multitudini diem statuit, ante quam liceret sine fraude ab armis di-

si sentiva colpevole di un delitto così grave: voleva solo che la repubblica rimanesse in pace, che dalla sua resistenza non nascesse una sedizione. *3* Ma fu ben diversa la lettera che Quinto Catulo[3] lesse in Senato, e che gli era stata indirizzata, diceva, dallo stesso Catilina. Ne riproduco il testo qui sotto[4]:

XXXV. *1* «Lucio Catilina a Quinto Catulo. La tua non comune lealtà, già sperimentata in concreto, preziosa per me in un così grave frangente, infonde coraggio alla mia richiesta. *2* Non è perciò mia intenzione presentare una difesa del mio nuovo progetto: ma poiché sono consapevole di non aver colpa di nulla, ho stabilito di fornirti una spiegazione dalla quale, in nome di dio[1], si possa conoscere la verità. *3* Provocato dagli oltraggi e dalle onte, poiché, spogliato del frutto delle mie fatiche e della mia operosità, non potevo conservare la dignità del mio rango, ho pubblicamente assunto, come è mia abitudine, la causa degli infelici, non perché non fossi in grado di far fronte con i miei beni ai debiti contratti a mio nome (a quelli contratti per conto d'altri avrebbe fatto fronte la liberalità di Orestilla[2] con gli averi suoi e della figlia) ma perché vedevo insigniti di cariche pubbliche uomini non degni[3]; e io sentivo di essere escluso da tutto per colpa di infondati sospetti. *4* A questo titolo io nutro la speranza, ancora onorevole vista la mia situazione, di serbare quel che rimane della mia dignità. *5* Vorrei scriverti di più, ma mi dicono che si sta preparando un'azione di forza contro di me. *6* Ti affido Orestilla, e la raccomando alla tua lealtà; proteggila da ogni oltraggio: te lo chiedo in nome dei tuoi figli. Addio.»

XXXVI. *1* Intanto Catilina, dopo essersi fermato qualche giorno da Gaio Flaminio[1] in territorio aretino, giusto il tempo di armare la gente dei dintorni che già prima aveva sollevato, si dirige con i fasci e le altre insegne del comando[2] verso l'accampamento di Manlio. *2* Appena la notizia giunge a Roma, il Senato dichiara nemici pubblici Catilina e Manlio; per tutti gli altri, tranne quelli già condannati a morte, fissa una data

scedere, praeter rerum capitalium condemnatis. [3]Praeterea decernit uti consules dilectum habeant, Antonius cum exercitu Catilinam persequi maturet, Cicero urbi praesidio sit.

[4]Ea tempestate mihi imperium populi Romani multo maxume miserabile visum est. Cui cum ad occasum ab ortu solis omnia domita armis parerent, domi otium atque divitiae, quae prima mortales putant, affluerent, fuere tamen cives qui seque remque publicam obstinatis animis perditum irent. [5]Namque duobus senati decretis ex tanta multitudine neque praemio inductus coniurationem patefecerat, neque ex castris Catilinae quisquam omnium discesserat: tanta vis morbi ac veluti tabes plerosque civium animos invaserat.

XXXVII. [1]Neque solum illis aliena mens erat qui conscii coniurationis fuerant, sed omnino cuncta plebes novarum rerum studio Catilinae incepta probabat. [2]Id adeo more suo videbatur facere. [3]Nam semper in civitate quibus opes nullae sunt bonis invident, malos extollunt; vetera odere, nova exoptant; odio suarum rerum mutari omnia student; turba atque seditionibus sine cura aluntur, quoniam egestas facile habetur sine damno. [4]Sed urbana plebes, ea vero praeceps erat de multis causis. [5]Primum omnium, qui ubique probro atque petulantia maxume praestabant, item alii per dedecora patrimoniis amissis, postremo omnes quos flagitium aut facinus domo expulerat, ei Romam sicut in sentinam confluxerant. [6]Deinde multi memores Sullanae victoriae, quod ex gregariis militibus alios senatores videbant, alios ita divites ut regio victu atque cultu aetatem agerent, sibi quisque, si in armis foret, ex victoria talia sperabat. [7]Praeterea iuventus, quae in

entro la quale potevano ancora deporre le armi senza incorrere in una punizione. *3* Poi decreta che i consoli procedano all'arruolamento, che Antonio con l'esercito si affretti a marciare contro Catilina, che Cicerone rimanga a guardia della città.

4 Mai come in quel tempo[3] mi parve infelicissimo l'impero del popolo romano. Malgrado da oriente a occidente tutte le genti sottomesse con le armi gli prestassero ubbidienza e al suo interno abbondassero i beni che ogni essere umano considera più importanti, l'ozio e le ricchezze, vi furono cittadini che ostinatamente progettarono di mandare in rovina se stessi e la repubblica. *5* Infatti, nonostante due decreti del Senato, a onta delle ricompense, non uno fra tanta moltitudine volle farsi delatore della congiura; non uno disertò dal campo di Catilina: tanta era la virulenza del male che aveva invaso, come una pestilenza, l'animo di quasi tutti i cittadini.

XXXVII. *1* Né solo i complici della congiura avevano perduto la testa; la plebe al completo, smaniosa di mutamenti, approvava l'azione di Catilina. *2* Ma non pareva conformarsi in questo alla sua natura? *3* Poiché sempre, in uno Stato, chi non ha nulla invidia i galantuomini, esalta i malvagi; detesta ciò che è antico, agogna al nuovo; insofferenti delle proprie condizioni, fantasticano immensi sconvolgimenti; si alimentano con leggerezza di rivolte, di disordini, poiché non corre rischi chi possiede solo miseria. *4* Ma la plebe urbana in verità aveva molte ragioni per gettarsi a capofitto. *5* Prima di tutto quelli che si eran fatti conoscere ovunque per disonestà e prepotenze, che avevano dilapidato il patrimonio con un'esistenza dissoluta, o che erano stati costretti a lasciare le loro città per uno scandalo o un delitto, tutti erano confluiti a Roma come in una sentina. *6* Poi, molti, memori della vittoria di Silla, poiché vedevano che alcuni, da semplici soldati, erano divenuti senatori[1], altri così ricchi da spassarsela per l'intera vita in un fasto regale, speravano, prendendo le armi, di ricavare altrettanto dalla vittoria. *7* I giovani, infine, che aveva-

agris manuum mercede inopiam toleraverat, privatis atque publicis largitionibus excita, urbanum otium ingrato labori praetulerat. Eos atque alios omnis malum publicum alebat. [8]Quo minus mirandum est homines egentis, malis moribus, maxuma spe, rei publicae iuxta ac sibi consuluisse. [9]Praeterea quorum victoria Sullae parentes proscripti, bona erepta, ius libertatis inminutum erat, haud sane alio animo belli eventum exspectabant. [10]Ad hoc quicumque aliarum atque senatus partium erant, conturbari rem publicam quam minus valere ipsi malebant. [11]Id < ad >eo malum multos post annos in civitatem revorterat.

XXXVIII. [1]Nam, postquam Cn. Pompeio et M. Crasso consulibus tribunicia potestas restituta est, homines adulescentes summam potestatem nacti, quibus aetas animusque ferox erat, coepere senatum criminando plebem exagitare, dein largiundo atque pollicitando magis incendere, ita ipsi clari potentesque fieri. [2]Contra eos summa ope nitebatur pleraque nobilitas senatus specie pro sua magnitudine. [3]Namque, uti paucis verum absolvam, post illa tempora quicumque rem publicam agitavere honestis nominibus, alii sicuti populi iura defenderent, pars quo senatus auctoritas maxuma foret, bonum publicum simulantes pro sua quisque potentia certabant. [4]Neque illis modestia neque modus contentionis erat; utrique victoriam crudeliter exercebant.

XXXIX. [1]Sed postquam Cn. Pompeius ad bellum maritumum atque Mithridaticum missus est, plebis opes imminutae, paucorum potentia crevit. [2]Ei magistratus, provincias aliaque omnia tenere; ipsi innoxii, florentes, sine metu aetatem agere

no sofferto la fame nei campi col lavoro delle proprie braccia, attirati dalle largizioni pubbliche e private[2], avevano preferito l'ozio urbano a un ingrato lavoro. Prosperavano tutti, gli uni come gli altri, sul pubblico danno. 8 Di cosa meravigliarsi allora se uomini alla deriva, in miseria, che coltivavano smisurati progetti, provvedevano allo Stato come avevano provveduto a se stessi? 9 Poi c'erano quelli che a causa della vittoria di Silla avevano avuto i parenti proscritti, gli averi depredati: menomati nei diritti[3], certo non aspettavano con animo diverso l'esito della guerra. 10 Chiunque, infine, fosse di un partito diverso da quello del Senato, preferiva che lo Stato fosse sovvertito piuttosto che indebolita la propria influenza. 11 Così, dopo molti anni, quel male[4] era tornato a dilagare in città.

XXXVIII. 1 Ristabilita sotto il consolato di Gneo Pompeo e Marco Crasso, la potestà tribunizia era infatti caduta nelle mani di uomini giovanissimi. Impetuosi per l'età, di animo violento, cominciarono ad agitare la plebe attaccando furiosamente il Senato: la infiammavano ogni giorno di più con largizioni e promesse, e in questo modo erano divenuti famosi e potenti. 2 Contro di loro, con ogni mezzo, lottava gran parte della nobiltà, in apparenza per difendere il Senato, in realtà i propri privilegi. 3 Perché, per dire il vero in breve, da allora tutti coloro che sconvolsero lo Stato sotto onorevoli pretesti, chi per difendere i diritti del popolo, altri per rafforzare l'autorità del Senato, simulando il bene pubblico, lottavano ciascuno per il proprio potere. 4 Né conoscevano moderazione o misura nella lotta: gli uni e gli altri esercitavano crudelmente la vittoria[1].

XXXIX. 1 Ma dopo che Gneo Pompeo fu inviato in guerra contro i pirati e contro Mitridate[1], la forza della plebe si indebolì, crebbe la potenza di pochi. 2 Si impadronivano delle magistrature, delle province e di ogni altra cosa; trascorrevano la vita negli agi, immuni da ogni molestia, senza timore;

ceterosque iudiciis terrere, quo plebem in magistratu placidius tractarent. ³Sed ubi primum dubiis rebus novandi spes oblata est, vetus certamen animos eorum adrexit. ⁴Quod si primo proelio Catilina superior aut aequa manu discessisset, profecto magna clades atque calamitas rem publicam oppressisset, neque illis qui victoriam adepti forent diutius ea uti licuisset, quin defessis et exsanguibus qui plus posset imperium atque libertatem extorqueret. ⁵Fuere tamen extra coniurationem complures, qui ad Catilinam initio profecti sunt. In eis erat Fulvius, senatoris filius, quem retractum ex itinere parens necari iussit.

⁶Isdem temporibus Romae Lentulus, sicuti Catilina praeceperat, quoscumque moribus aut fortuna novis rebus idoneos credebat, aut per se aut per alios sollicitabat; neque solum civis, sed cuiusque modi genus hominum, quod modo bello usui foret.

XL. ¹Igitur P. Umbreno cuidam negotium dat uti legatos Allobrogum requirat eosque, si possit, inpellat ad societatem belli, existumans publice privatimque aere alieno oppressos, praeterea quod natura gens Gallica bellicosa esset, facile eos ad tale consilium adduci posse. ²Umbrenus, quod in Gallia negotiatus erat, plerisque principibus civitatium notus erat atque eos noverat. Itaque sine mora, ubi primum legatos in foro conspexit, percontatus pauca de statu civitatis et quasi dolens eius casum, requirere coepit quem exitum tantis malis sperarent. ³Postquam illos videt queri de avaritia magistratuum, accusare senatum quod in eo auxili nihil esset, miseriis suis remedium mortem exspectare, «At ego, inquit, vobis, si modo viri esse voltis, rationem ostendam qua tanta ista mala effugiatis». ⁴Haec ubi dixit, Allobroges in maxumam spem ad-

intimidivano gli altri con minacce di processi, perché tenessero buona la plebe mentre erano in carica. *3* Ma appena, in una situazione politica confusa, apparve la speranza di un mutamento, nei loro animi si ridestò l'antico conflitto. *4* E se Catilina fosse uscito dal primo scontro vincitore, o almeno non battuto, di sicuro massacri e calamità si sarebbero abbattuti sulla repubblica; ma i vincitori non avrebbero goduto a lungo del successo, senza che qualcun altro più forte strappasse loro, ormai sfiniti e dissanguati, il potere e la libertà[2]. *5* Furono in molti, tuttavia, estranei alla congiura, che all'inizio partirono per raggiungere Catilina. Fulvio tra di loro, figlio di un senatore, che il padre fece riportare indietro, e condannò a morte[3].

6 A Roma, in quei giorni, Lentulo, seguendo gli ordini di Catilina, sobillava di persona o tramite intermediari quelli che riteneva, a causa della condotta morale o delle condizioni economiche, idonei alla congiura; né solo cittadini, ma gente di ogni risma, purché servissero alla guerra.

XL. *1* Perciò incarica un certo Publio Umbreno[1] di prender contatti con gli ambasciatori degli Allobrogi[2] e di indurli a un'alleanza militare, riflettendo che, oberati di debiti pubblici e privati, e poiché i Galli sono un popolo bellicoso per natura, avrebbero aderito senza difficoltà alla proposta. *2* Umbreno, poiché aveva commerciato in Gallia, era noto a quasi tutti i capi di là, e li conosceva personalmente. Non perse tempo: scorse gli ambasciatori nel Foro, e già in breve si informava sulle condizioni del loro popolo, simulava di essere addolorato per le loro disgrazie; poi cominciò a chiedere in che modo contassero di uscirne. *3* Quando li vide lamentarsi della rapacità dei magistrati, accusare il Senato perché in ciò non era di nessun aiuto, attendersi solo la morte come rimedio alle loro sofferenze, «Vi indicherò io» disse «come sfuggire alle vostre disgrazie: ma dovrete dimostrare di essere uomini». *4* Aveva appena pronunciato queste parole, che gli Allobrogi, accesi dalla più viva speranza, supplicano Umbreno di

ducti Umbrenum orare uti sui misereretur: nihil tam asperum neque tam difficile esse quod non cupidissume facturi essent, dum ea res civitatem aere alieno liberaret. [5]Ille eos in domum D. Bruti perducit, quod foro propinqua erat neque aliena consili propter Semproniam; nam tum Brutus ab Roma aberat. [6]Praeterea Gabinium arcessit, quo maior auctoritas sermoni inesset; eo praesente coniurationem aperit, nominat socios, praeterea multos cuiusque generis innoxios, quo legatis animus amplior esset; deinde eos pollicitos operam suam domum dimittit.

XLI. [1]Sed Allobroges diu in incerto habuere quidnam consili caperent. [2]In altera parte erat aes alienum, studium belli, magna merces in spe victoriae; at in altera maiores opes, tuta consilia, pro incerta spe certa praemia. [3]Haec illis volventibus, tandem vicit fortuna rei publicae. [4]Itaque Q. Fabio Sangae, cuius patrocinio civitas plurumum utebatur, rem omnem uti cognoverant aperiunt. [5]Cicero per Sangam consilio cognito legatis praecipit ut studium coniurationis vehementer simulent, ceteros adeant, bene polliceantur, dentque operam uti eos quam maxume manufestos habeant.

XLII. [1]Isdem fere temporibus in Gallia citeriore atque ulteriore, item in agro Piceno, Bruttio, Apulia motus erat. [2]Namque illi, quos ante Catilina dimiserat, inconsulte ac veluti per dementiam cuncta simul agebant: nocturnis consiliis, armorum atque telorum portationibus, festinando, agitando omnia, plus timoris quam periculi effecerant. [3]Ex eo numero compluris Q. Metellus Celer praetor, ex senatus consulto causa cognita, in vincula coniecerat, item in citeriore Gallia C. Murena, qui ei provinciae legatus praeerat.

aver pietà di loro: non v'era nulla, per quanto arduo e difficile, che non avrebbero fatto con il massimo entusiasmo, pur di liberare dai debiti il loro popolo. 5 Umbreno li introduce nella casa di Decimo Bruto[3], che si trovava vicino al Foro, e non era estraneo, per via di Sempronia, alla congiura; poiché Bruto, allora, era lontano da Roma. 6 Fa poi venire Gabinio[4], per conferire più autorevolezza al discorso. In sua presenza svela la congiura, fa il nome degli affiliati, ne aggiunge altri di ogni ceto sociale, per infondere maggior coraggio agli ambasciatori. Dopo che si furono impegnati, li congedava.

XLI. *1* Ma gli Allobrogi restarono a lungo incerti su quale decisione prendere. *2* Da una parte i debiti, l'amor di guerra, una grande ricompensa in caso di vittoria; ma dall'altra forze superiori, niente rischi, premi certi[1] in luogo di un'incerta speranza. *3* Valutavano queste cose tra loro; prevalse infine la fortuna della repubblica[2]. *4* Riferiscono tutto quello che avevano saputo a Quinto Fabio Sanga, che era stato diverse volte patrono[3] del loro popolo. Cicerone, informato da Sanga del piano, raccomanda agli ambasciatori di fingere un intenso interesse per la congiura, di prender contatto con gli altri, di fare grandi promesse e di prodigarsi affinché quelli si scoprissero il più possibile.

XLII. *1* Più o meno in quegli stessi giorni, scoppiarono disordini nella Gallia citeriore e ulteriore[1], nel Piceno, nel Bruzzio[2], in Puglia. *2* Poiché gli inviati di Catilina, sconsigliatamente, come folli, volevano far tutto in una volta: con riunioni notturne, con trasporti di armi da difesa e da offesa, precipitando e sconvolgendo ogni cosa, avevano finito per provocare più spavento che pericolo. *3* Molti di loro, in conformità al decreto del Senato[3], furono processati e arrestati da Quinto Metello Celere[4]; accadde lo stesso in Gallia ulteriore per opera di Gaio Murena, che governava la provincia in qualità di legato[5].

XLIII. [1]At Romae Lentulus cum ceteris qui principes coniurationis erant, paratis, ut videbatur, magnis copiis, constituerant uti, cum Catilina in agrum † Faesulanum † cum exercitu venisset, L. Bestia tribunus plebis contione habita quereretur de actionibus Ciceronis bellique gravissumi invidiam optumo consuli inponeret; eo signo proxuma nocte cetera multitudo coniurationis suum quoique negotium exsequeretur. [2]Sed ea divisa hoc modo dicebantur: Statilius et Gabinius uti cum magna manu duodecim simul opportuna loca urbis incenderent, quo tumultu facilior aditus ad consulem ceterosque quibus insidiae parabantur fieret; Cethegus Ciceronis ianuam obsideret eumque vi aggrederetur; alius autem alium, sed filii familiarum, quorum ex nobilitate maxuma pars erat, parentes interficerent; simul, caede et incendio perculsis omnibus, ad Catilinam erumperent. [3]Inter haec parata atque decreta Cethegus semper querebatur de ignavia sociorum: illos dubitando et dies prolatando magnas opportunitates corrumpere; facto, non consulto in tali periculo opus esse, seque, si pauci adiuvarent, languentibus aliis, impetum in curiam facturum. [4]Natura ferox, vehemens, manu promptus erat, maxumum bonum in celeritate putabat.

XLIV. [1]Sed Allobroges ex praecepto Ciceronis per Gabinium ceteros conveniunt. Ab Lentulo, Cethego, Statilio, item Cassio postulant iusiurandum quod signatum ad civis perferant: aliter haud facile eos ad tantum negotium impelli posse. [2]Ceteri nihil suspicantes dant; Cassius semet eo brevi venturum pollicetur ac paulo ante legatos ex urbe proficiscitur. [3]Lentulus cum is T. Volturcium quendam Crotoniensem mit-

XLIII. *1* A Roma, intanto, Lentulo e gli altri capi della congiura, dopo aver organizzato squadre armate a quel che pareva considerevoli, stabilirono che quando Catilina fosse giunto con l'esercito nel territorio di Fiesole[1], il tribuno della plebe Lucio Bestia[2], convocata l'assemblea popolare, deprecasse l'operato di Cicerone e facesse ricadere su quell'ottimo console l'odiosità di una guerra paurosa: a quel segnale, la notte dopo, tutti gli altri congiurati avrebbero eseguito i compiti assegnati a ciascuno. *2* Si disse che fossero così distribuiti: Statilio e Gabinio[3], con un ingente manipolo di uomini, dovevano appiccare il fuoco simultaneamente in dodici luoghi strategici della città, per giungere più facilmente, nel gran trambusto, al console e agli altri, che erano l'obiettivo dell'attentato; Cetego doveva appostare l'uscio di Cicerone, e assalirlo con le armi; ciascuno aveva la sua vittima designata; i figli ancora minorenni, quasi tutti di nobile famiglia, avrebbero ammazzato i loro padri; poi, tra lo sgomento generale provocato dal massacro e dagli incendi, si sarebbero precipitati da Catilina. *3* Nel mezzo dei preparativi e delle risoluzioni, Cetego continuamente lamentava l'ignavia dei compagni: a furia di esitazioni e di rinvii, sprecavano una grande occasione; in simili frangenti era necessario agire, non deliberare; ma rimanessero pure inoperosi, egli, con l'aiuto di un pugno di uomini, avrebbe fatto incursione nella Curia. *4* Era un uomo per natura violento, impetuoso, pronto all'azione, che riponeva i migliori risultati nella rapidità.

XLIV. *1* Intanto gli Allobrogi, seguendo le disposizioni di Cicerone, si incontrano con gli altri congiurati in casa di Gabinio. A Lentulo, a Cetego, a Statilio, nonché a Cassio[1], chiedono una dichiarazione scritta e sigillata[2] da recare ai loro concittadini, poiché non avrebbero potuto indurli, diversamente, a un'azione di quella portata. *2* Tutti acconsentono senza alcun sospetto; Cassio promette di unirsi tra breve a loro, ma lascia la città poco prima degli ambasciatori. *3* Lentulo li fa scortare da un certo Tito Volturcio[3], originario di Croto-

tit ut Allobroges, prius quam domum pergerent, cum Catilina data atque accepta fide societatem confirmarent. [4]Ipse Volturcio litteras ad Catilinam dat, quarum exemplum infra scriptum est:

«[5]Qui sim ex eo quem ad te misi cognosces. Fac cogites in quanta calamitate sis, et memineris te virum esse. Consideres quid tuae rationes postulent; auxilium petas ab omnibus, etiam ab infimis.»

[6]Ad hoc mandata verbis dat: cum ab senatu hostis iudicatus sit, quo consilio servitia repudiet? In urbe parata esse quae iusserit; ne cunctetur ipse propius accedere.

XLV. [1]His rebus ita actis, constituta nocte qua proficiscerentur, Cicero, per legatos cuncta edoctus, L. Valerio Flacco et C. Pomptino praetoribus imperat ut in ponte Mulvio per insidias Allobrogum comitatus deprehendant. Rem omnem aperit cuius gratia mittebantur; cetera uti facto opus sit ita agant permittit. [2]Illi, homines militares, sine tumultu praesidiis conlocatis, sicuti praeceptum erat, occulte pontem obsidunt. [3]Postquam ad id loci legati cum Volturcio venerunt et simul utrimque clamor exortus est, Galli, cito cognito consilio, sine mora praetoribus se tradunt. [4]Volturcius primo cohortatus ceteros gladio se a multitudine defendit; deinde, ubi a legatis desertus est, multa prius de salute sua Pomptinum obtestatus, quod ei notus erat, postremo timidus ac vitae diffidens veluti hostibus sese praetoribus dedit.

XLVI. [1]Quibus rebus confectis omnia propere per nuntios consuli declarantur. [2]At illum ingens cura atque laetitia simul occupavere. Nam laetabatur intellegens coniuratione patefacta civitatem periculis ereptam esse; porro autem anxius erat,

ne: voleva che gli Allobrogi, prima di rientrare in patria, confermassero l'alleanza, giurassero insieme a Catilina un reciproco patto di fedeltà. *4* Dà egli stesso a Volturcio una lettera per Catilina, di cui riproduco qui sotto il testo[4]:

5 «Saprai chi sono dal messo che ti ho inviato. Pensa in quale frangente ti trovi, e ricordati di essere un uomo. Considera con attenzione ciò che la situazione richiede; chiedi aiuto a tutti, anche a quelli che stanno più in basso[5].»

6 Altre istruzioni le aggiunse a voce: dopo che era stato giudicato nemico della patria, per quale ragione rifiutava ancora gli schiavi? In città tutto era pronto secondo gli ordini; non doveva esitare ad avanzare.

XLV. *1* Fatte erano ormai queste cose; fissata anche la notte[1] in cui partire; e Cicerone, che era al corrente di ogni cosa tramite gli ambasciatori, comanda ai pretori Lucio Valerio Flacco[2] e Gaio Pontino[3] di arrestare in un'imboscata sul Ponte Milvio[4] la comitiva degli Allobrogi. Rivela loro gli obiettivi della missione; per il resto, li lascia liberi di muoversi a seconda delle circostanze. *2* Erano uomini di guerra: disposti in silenzio i soldati come era stato loro comandato, bloccano segretamente il ponte. *3* Appena gli ambasciatori con Volturcio giunsero in quel luogo, dalle due rive si alzò contemporaneamente un clamore: i Galli, che avevano subito intuito il piano, si consegnano senza indugio ai pretori. *4* Volturcio in un primo momento rincuora i compagni e si difende con la spada dal numero degli avversari; ma poi, come fu abbandonato dagli ambasciatori, dapprima implorò a lungo Pontino, poiché lo conosceva, di salvarlo, fino a che, impaurito, ormai disperando della propria vita, si arrese ai pretori come a dei nemici.

XLVI. *1* L'operazione si era conclusa; il console era stato sollecitamente informato dell'esito per mezzo di corrieri. *2* E insieme lo pervasero una grande inquietudine e una grande gioia. Si rallegrava al pensiero che la città non corresse pericolo, ora che la congiura era stata scoperta; e intanto era an-

dubitans in maxumo scelere tantis civibus deprehensis quid facto opus esset; poenam illorum sibi oneri, inpunitatem perdundae reipublicae fore credebat. ³Igitur confirmato animo vocari ad sese iubet Lentulum, Cethegum, Statilium, Gabinium, itemque Caeparium Terracinensem, qui in Apuliam ad concitanda servitia proficisci parabat. ⁴Ceteri sine mora veniunt; Caeparius, paulo ante domo egressus, cognito indicio ex urbe profugerat. ⁵Consul Lentulum, quod praetor erat, ipse manu tenens in senatum perducit; relicuos cum custodibus in aedem Concordiae venire iubet. ⁶Eo senatum advocat, magnaque frequentia eius ordinis Volturcium cum legatis introducit; Flaccum praetorem scrinium cum litteris quas a legatis acceperat eodem adferre iubet.

XLVII. ¹Volturcius interrogatus de itinere, de litteris, postremo quid aut qua de causa consili habuisset, primo fingere alia, dissimulare de coniuratione; post, ubi fide publica dicere iussus est, omnia uti gesta erant aperit, docetque se, paucis ante diebus a Gabinio et Caepario socium adscitum, nihil amplius scire quam legatos, tantummodo audire solitum ex Gabinio P. Autronium, Ser. Sullam, L. Vargunteium, multos praeterea in ea coniuratione esse. ²Eadem Galli fatentur ac Lentulum dissimulantem coarguont praeter litteras sermonibus quos ille habere solitus erat: ex libris Sibyllinis regnum Romae tribus Corneliis portendi; Cinnam atque Sullam antea, se tertium esse cui fatum foret urbis potiri; praeterea ab incenso Capitolio illum esse vicesimum annum, quem saepe ex prodigiis haruspices respondissent bello civili cruentum fore. ³Igitur perlectis litteris, cum prius omnes signa sua cognovissent, senatus decernit uti abdicato magistratu Lentulus itemque ceteri

gosciato, poiché non sapeva cosa fosse meglio fare di cittadini tanto importanti, arrestati per il più efferato dei crimini; la loro condanna sarebbe ricaduta su di lui, ma la loro impunità avrebbe mandato in rovina lo Stato[1]. *3* Infine si riprese; ordinava che fossero convocati alla sua presenza Lentulo, Cetego, Statilio, Gabinio, e lo stesso Cepario di Terracina[2], che si apprestava a raggiungere la Puglia per sollevare gli schiavi. *4* Compaiono tutti senza indugiare; ma Cepario, uscito poco prima di casa, aveva saputo della denuncia ed era fuggito dalla città. *5* È il console in persona ad accompagnare per mano Lentulo, poiché era un pretore[3], in Senato; comanda che gli altri siano scortati dalle guardie fino al tempio della Concordia[4]. *6* Convoca là il Senato e, di fronte a un'assemblea affollatissima, introduce Volturcio assieme agli ambasciatori; al pretore Flacco comanda di produrre il cofanetto con le lettere ricevute dagli ambasciatori.

XLVII. *1* Volturcio, interrogato sul suo viaggio, sulla lettera, sulle modalità e i motivi del suo piano, all'inizio inventa delle scuse, finge di ignorare la congiura; poi, invitato a parlare sotto garanzia di immunità, svela come s'era svolta ogni cosa, spiega di essere stato contattato solo pochi giorni prima da Gabinio e da Cepario, di non saperne nulla di più degli ambasciatori: aveva solo sentito dire più volte da Gabinio che nella congiura erano coinvolti Publio Autronio, Servio Silla, Lucio Vargunteio e molti altri ancora. *2* Le stesse cose dichiarano i Galli; e poiché Lentulo negava, lo smentiscono, oltre che con la lettera, riferendo certi discorsi che era solito tenere. Andava dicendo che secondo i libri sibillini[1] a Roma il regno sarebbe toccato a tre Corneli: Cinna[2] e Silla prima, poi lui, terzo decretato dal fato a impadronirsi della città. Cadeva inoltre il ventesimo anniversario dell'incendio del Campidoglio, quello che più volte gli aruspici, nei prodigi, avevano predetto insanguinato dalla guerra civile[3]. *3* Data lettura della lettera, avendo prima tutti riconosciuto il proprio sigillo, il Senato decreta che Lentulo, decaduto dalla sua carica, sia te-

in liberis custodiis habeantur. [4]Itaque Lentulus P. Lentulo
Spintheri, qui tum aedilis erat, Cethegus Q. Cornificio, Statilius C. Caesari, Gabinius M. Crasso, Caeparius – nam is paulo ante ex fuga retractus erat – Cn. Terentio senatori tra-
duntur.

XLVIII. [1]Interea plebs, coniuratione patefacta, quae primo
cupida rerum novarum nimis bello favebat, mutata mente,
Catilinae consilia exsecrari, Ciceronem ad caelum tollere: veluti ex servitute erepta gaudium atque laetitiam agitabat.
[2]Namque alia belli facinora praedae magis quam detrimento
fore, incendium vero crudele, inmoderatum ac sibi maxume
calamitosum putabat, quippe cui omnes copiae in usu cotidia-
no et cultu corporis erant.

[3]Post eum diem, quidam L. Tarquinius ad senatum adduc-
tus erat, quem ad Catilinam proficiscentem ex itinere retractum aiebant. [4]Is cum se diceret indicaturum de coniuratione
si fides publica data esset, iussus a consule quae sciret edice-
re, eadem fere quae Volturcius de paratis incendiis, de caede
bonorum, de itinere hostium senatum docet; praeterea se mis-
sum a M. Crasso, qui Catilinae nuntiaret ne eum Lentulus et
Cethegus aliique ex coniuratione deprehensi terrerent, eoque
magis properaret ad urbem accedere, quo et ceterorum animos reficeret et illi facilius e periculo eriperentur. [5]Sed ubi
Tarquinius Crassum nominavit, hominem nobilem, maxumis
divitiis, summa potentia, alii rem incredibilem rati, pars tametsi verum existumabant, tamen quia in tali tempore tanta
vis hominis magis leniunda quam exagitanda videbatur, plerique Crasso ex negotiis privatis obnoxii, conclamant indicem
falsum esse, deque ea re postulant uti referatur. [6]Itaque con-
sulente Cicerone frequens senatus decernit Tarquini indicium
falsum videri, eumque in vinculis retinendum, neque amplius
potestatem faciundam, nisi de eo indicaret cuius consilio tan-

nuto in libertà vigilata assieme agli altri[4]. *4* Lentulo viene affidato a Publio Lentulo Spintere[5], a quel tempo edile; Cetego a Quinto Cornificio[6]; Statilio a Gaio Cesare; Gabinio a Marco Crasso; Cepario – catturato poco prima durante la fuga – al senatore Gneo Terenzio[7].

XLVIII. *1* La congiura era stata scoperta, e la plebe che prima, smaniosa di rivolgimenti, era tutta per la guerra, cambiò d'avviso: malediceva i piani di Catilina, portava alle stelle Cicerone, si abbandonava alla gioia e all'esultanza, come se fosse stata salvata dalla schiavitù. *2* Poiché capiva che se dagli altri flagelli della guerra ci si poteva aspettare più guadagno che danno, l'incendio, specialmente per della povera gente che possedeva solo quattro masserizie e dei vestiti, era un'azione crudele, eccessiva, disastrosa.

3 Il giorno dopo fu introdotto in Senato un certo Tarquinio[1]: correva voce che fosse stato arrestato in cammino, mentre cercava di raggiungere Catilina. *4* Poiché disse che avrebbe fatto rivelazioni solo in cambio dell'impunità, invitato dal console a parlare, confermò praticamente le rivelazioni di Volturcio sugli incendi che si andavano preparando, sul massacro delle classi alte, sulla marcia del nemico. Aggiunse di essere stato inviato da Crasso per rassicurare Catilina sugli arresti di Lentulo, di Cetego e degli altri congiurati; doveva anzi esortarlo ad affrettarsi verso Roma, con lo scopo di liberare i prigionieri e rinfrancare gli altri. *5* Ma appena Tarquinio fa il nome di Crasso, che era nobile, ricchissimo e influentissimo, tutti gridano che il testimone è falso, chiedono che la cosa sia messa in deliberazione, un po' perché ritenevano l'accusa inverosimile, un po' perché, pur giudicandola vera, erano dell'avviso che un uomo di quella potenza fosse meglio tenerselo caro piuttosto che irritarlo, ma soprattutto perché erano in molti a essere obbligati a Crasso per affari privati. *6* In un'aula gremita, consultato da Cicerone, il Senato dichiara che l'accusa appare inattendibile: Tarquinio va messo in prigione e non gli si deve concedere di deporre se prima non fa il no-

tam rem esset mentitus. ⁷Erant eo tempore qui aestumarent indicium illud a P. Autronio machinatum quo facilius, appellato Crasso, per societatem periculi relicuos illius potentia tegeret. ⁸Alii Tarquinium a Cicerone inmissum aiebant ne Crassus, more suo suscepto malorum patrocinio, rem publicam conturbaret. ⁹Ipsum Crassum ego postea praedicantem audivi tantam illam contumeliam sibi a Cicerone inpositam.

XLIX. ¹Sed isdem temporibus Q. Catulus et C. Piso neque precibus neque gratia neque pretio Ciceronem inpellere potuere uti per Allobroges aut alium indicem C. Caesar falso nominaretur. ²Nam uterque cum illo gravis inimicitias excercebat: Piso oppugnatus in iudicio pecuniarum repetundarum propter cuiusdam Transpadani supplicium iniustum, Catulus ex petitione pontificatus odio incensus quod extrema aetate, maxumis honoribus usus, ab adulescentulo Caesare victus discesserat. ³Res autem opportuna videbatur quod is privatim egregia liberalitate, publice maxumis muneribus, grandem pecuniam debebat. ⁴Sed ubi consulem ad tantum facinus inpellere nequeunt, ipsi singillatim circumeundo atque ementiundo quae se ex Volturcio aut Allobrogibus audisse dicerent, magnam illi invidiam conflaverant, usque eo ut nonnulli equites Romani, qui praesidi causa cum telis erant circum aedem Concordiae, seu periculi magnitudine seu animi mobilitate inpulsi, quo studium suum in rem publicam clarius esset, egredienti ex senatu Caesari gladio minitarentur.

L. ¹Dum haec in senatu aguntur et dum legatis Allobrogum et T. Volturcio, conprobato eorum indicio, praemia decernuntur, liberti et pauci ex clientibus Lentuli divorsis itineribus opifices atque servitia in vicis ad eum eripiundum sollici-

me di chi gli ha suggerito una tale menzogna. *7* A quel tempo, ci fu chi pensò che la denuncia fosse una macchinazione di Publio Autronio[2] per coinvolgere Crasso: nel pericolo comune, la sua potenza avrebbe difeso i congiurati. *8* Altri andavano dicendo che Tarquinio era stato sobillato da Cicerone, preoccupato che Crasso potesse turbare lo Stato prendendo le difese, com'era suo costume, dei peggiori soggetti. *9* In seguito io stesso ho udito Crasso in persona dichiarare che quell'accusa infamante era stata proprio opera di Cicerone[3].

XLIX. *1* Ma in quella stessa occasione Quinto Catulo[1] e Gaio Pisone[2], né con preghiere, né con pressioni, né con denaro, poterono indurre Cicerone a dichiarare falsamente il nome di Cesare per mezzo degli Allobrogi o di qualche altro testimone. *2* Nutrivano entrambi contro di lui un odio profondo: Pisone era stato attaccato in un processo di concussione, per aver fatto iniquamente giustiziare un transpadano; ma Catulo ardeva di odio dal tempo della sua candidatura al pontificato, poiché egli, anziano, al culmine della carriera politica, era stato battuto dal giovane Cesare[3]. *3* Sembrava anche il momento giusto per accusarlo, giacché Cesare, per la sua straordinaria generosità nella vita privata, per l'insuperabile magnificenza di quella pubblica, si era riempito di debiti[4]. *4* Ma poiché non riescono a indurre il console a compiere un gesto così grave, circuiscono personalmente i cittadini a uno a uno, inventano storie che dicono di aver udito da Volturcio o dagli Allobrogi: gli avevano suscitato contro un tale odio, che alcuni cavalieri romani, di guardia intorno al tempio della Concordia, eccitati dalla gravità del pericolo o dal carattere impressionabile, desiderosi di ostentare il loro amor patrio, giunsero a minacciarlo con la spada all'uscita dal Senato[5].

L. *1* Mentre in Senato succede tutto questo e si decretano ricompense agli ambasciatori degli Allobrogi e a Tito Volturcio, poiché le denunce erano risultate vere, i liberti e alcuni clienti di Lentulo si dividono per le viuzze dei sobborghi, in-

tabant; partim exquirebant duces multitudinum, qui pretio rem publicam vexare soliti erant. [2]Cethegus autem per nuntios familiam atque libertos suos, lectos et exercitatos, orabat in audaciam, ut grege facto cum telis ad sese inrumperent. [3]Consul ubi ea parari cognovit, dispositis praesidiis ut res atque tempus monebat, convocato senatu refert quid de eis fieri placeat qui in custodiam traditi erant. Sed eos paulo ante frequens senatus iudicaverat contra rem publicam fecisse. [4]Tum D. Iunius Silanus, primus sententiam rogatus quod eo tempore consul designatus erat, de eis qui in custodiis tenebantur et praeterea de L. Cassio, P. Furio, P. Umbreno, Q. Annio, si deprehensi forent, supplicium sumendum decreverat; isque postea, permotus oratione C. Caesaris, pedibus in sententiam Ti. Neronis iturum se dixerat qui de ea re, praesidiis additis, referundum censuerat. [5]Sed Caesar, ubi ad eum ventum est, rogatus sententiam a consule, huiuscemodi verba locutus est:

LI. «[1]Omnis homines, patres conscripti, qui de rebus dubiis consultant, ab odio, amicitia, ira atque misericordia vacuos esse decet. [2]Haud facile animus verum providet ubi illa officiunt, neque quisquam omnium lubidini simul et usui paruit. [3]Ubi intenderis ingenium, valet; si lubido possidet, ea dominatur, animus nihil valet. [4]Magna mihi copia est memorandi, patres conscripti, quae reges atque populi, ira aut misericordia inpulsi, male consuluerint; sed ea malo dicere quae maiores nostri contra lubidinem animi sui recte atque ordine fecere. [5]Bello Macedonico, quod cum rege Perse gessimus, Rhodiorum civitas magna atque magnifica, quae populi Romani opibus creverat, infida atque advorsa nobis fuit. Sed post-

citano schiavi e operai a strapparlo di prigione; altri andavano in cerca dei capipopolo, esperti nel suscitare disordini a pagamento. *2* Cetego poi, per mezzo di corrieri, esortava all'audacia i suoi schiavi e liberti, uomini scelti e addestrati: dovevano armarsi, raccogliersi a ranghi compatti e irrompere nella casa dove si trovava. *3* Il console, quando seppe che si macchinavano tali cose, dopo aver disposto corpi armati come esigevano la situazione e il momento, convocò il Senato[1] e chiese che cosa intendesse fare di coloro che si trovavano agli arresti. Ma poco prima il Senato, in una seduta affollatissima, li aveva giudicati colpevoli di complotto contro lo Stato. *4* Decimo Giunio Silano[2], interpellato per primo, poiché a quel tempo era console designato, propose l'esecuzione capitale degli arrestati nonché di Lucio Cassio, Publio Furio, Publio Umbreno, Quinto Annio[3], appena fossero catturati; in seguito, colpito dal discorso di Gaio Cesare, dichiarò di aderire alla proposta di Tiberio Nerone[4], che aveva consigliato di deliberare sulla questione solo dopo aver rafforzato i corpi di guardia. *5* Ma Cesare, quando si arrivò a lui, interpellato dal console, tenne un discorso più o meno del seguente tenore[5]:

LI. *1* «Tutti gli uomini, padri coscritti, quando sono chiamati a giudicare su casi di controversa natura, debbono essere esenti da livori e da simpatie, dall'ira, dalla pietà[1]. *2* Non è facile per un animo turbato giungere a distinguere il vero; non c'è uomo che sia riuscito a obbedire insieme alle proprie passioni e al proprio interesse. *3* Uno spirito ben teso si accresce in potenza; ma quando cediamo alla passione, essa impera, l'animo soccombe. *4* Potrei citare numerosi casi, padri coscritti, di re e di popoli che presero una cattiva decisione sotto l'impulso dell'ira o della pietà; ma voglio dire solo di quelli in cui gli avi nostri operarono con giustizia e prudenza, non cedendo agli impulsi dell'animo. *5* Durante la guerra macedonica, quando combattevamo contro il re Perseo, la grande e opulenta città di Rodi, che era divenuta rigogliosa grazie agli aiuti del popolo romano, si comportò con noi in modo sleale e

quam bello confecto de Rhodiis consultum est, maiores nostri, ne quis divitiarum magis quam iniuriae causa bellum in-
ceptum diceret, inpunitos eos dimisere. [6]Item bellis Punicis
omnibus, cum saepe Carthaginienses et in pace et per indu-
tias multa nefaria facinora fecissent, numquam ipsi per occasionem talia fecere: magis quid se dignum foret quam quid in
illos iure fieri posset quaerebant. [7]Hoc item vobis providen-
dum est, patres conscripti, ne plus apud vos valeat P. Lentuli
et ceterorum scelus quam vostra dignitas, neu magis irae vostrae quam famae consulatis. [8]Nam si digna poena pro factis
eorum reperitur, novom consilium adprobo; sin magnitudo
sceleris omnium ingenia exsuperat, his utendum censeo quae
legibus conparata sunt.

«[9]Plerique eorum qui ante me sententias dixerunt composite atque magnifice casum rei publicae miserati sunt. Quae
belli saevitia esset, quae victis acciderent, enumeravere: rapi
virgines, pueros, divelli liberos a parentum complexu, matres
familiarum pati quae victoribus conlibuissent; fana atque domos spoliari; caedem, incendia fieri; postremo armis, cadave-
ribus, cruore atque luctu omnia compleri. [10]Sed, per deos in-
mortalis, quo illa oratio pertinuit? An uti vos infestos coniu-
rationi faceret? Scilicet quem res tanta et tam atrox non per-
movit, eum oratio accendet! [11]Non ita est; neque cuiquam
mortalium iniuriae suae parvae videntur; multi eas gravius aequo habuere. [12]Sed alia aliis licentia est, patres conscripti.
Qui demissi in obscuro vitam habent, si quid iracundia deliquere, pauci sciunt; fama atque fortuna eorum pares sunt.
Qui magno imperio praediti in excelso aetatem agunt, eorum
facta cuncti mortales novere. [13]Ita in maxuma fortuna minima licentia est: neque studere, neque odisse, sed minime ira-

ostile. Tuttavia quando, a guerra finita, dovettero deliberare sui Rodiesi, i nostri avi, perché non si dicesse che avevano fatto guerra per le ricchezze della città piuttosto che per l'ingiuria patita, si astennero da punizioni[2]. 6 Anche in tutte le guerre puniche, benché spesso i Cartaginesi avessero compiuto, in pace come in periodo di tregua, diverse azioni infami, i nostri avi rinunciarono a ogni occasione di emularli: pensavano alla propria dignità, non a ritorsioni (sia pure legittime) contro di loro[3]. 7 Ma oggi, padri coscritti, sta a voi non far prevalere l'empietà di Lentulo e degli altri sulla vostra dignità, il pensiero dell'ira sulla vostra buona reputazione. 8 Poiché, se si può trovare un castigo adeguato alle colpe commesse, lo approverò, anche se si trattasse di provvedimento eccezionale[4]; ma quando l'enormità del delitto travalica ogni immaginazione, credo che sia nostro dovere affidarci alle leggi già in vigore.

9 «Molti di coloro che sono stati interpellati prima di me, con arte, con smagliante eloquenza hanno deplorato la difficile congiuntura dello Stato. Hanno enumerato le efferatezze della guerra, la sorte dei vinti: vergini e bimbi rapiti, figli strappati alle braccia dei genitori, matrone costrette a sottostare ai desideri dei vincitori, templi e case saccheggiati, stragi, incendi; dappertutto armi, cadaveri; e lutto, e sangue. 10 Ma, per gli dei immortali, a cosa mirava questo discorso? Forse a ispirarci odio verso la congiura? Già, perché gente che è stata insensibile dinanzi a un episodio così delittuoso e atroce, verrà infiammata da un'orazione! 11 Non è così, né ad alcuno sembrano lievi le offese subite: molti, anzi, le giudicano più gravi del giusto. 12 Ma non a tutti sono permesse le stesse cose, padri coscritti. Se a causa dell'ira si macchia di colpe gente di bassa condizione, che conduce una vita oscura, pochi vengono a saperlo; la loro fama è pari alla loro condizione: ma le azioni di coloro che trascorrono la vita in una posizione elevata, investiti di un grande potere, sono esposti alla conoscenza di tutti gli esseri umani. 13 Più grande è la fortuna, tanto minore la libertà d'azione; non è permesso simpatizza-

sci decet. [14]Quae apud alios iracundia dicitur, ea in imperio superbia atque crudelitas appellatur. [15]Equidem ego sic existumo, patres conscripti, omnis cruciatus minores quam facinora illorum esse. Sed plerique mortales postrema meminere, et, in hominibus impiis sceleris eorum obliti, de poena disserunt, si ea paulo severior fuit.

«[16]D. Silanum, virum fortem atque strenuum, certo scio quae dixerit studio rei publicae dixisse, neque illum in tanta re gratiam aut inimicitias exercere: eos mores, eamque modestiam viri cognovi. [17]Verum sententia eius mihi non crudelis – quid enim in talis homines crudele fieri potest? – sed aliena a re publica nostra videtur. [18]Nam profecto aut metus aut iniuria te subegit, Silane, consulem designatum, genus poenae novom decernere. [19]De timore supervacaneum est disserere, cum praesertim diligentia clarissumi viri consulis tanta praesidia sint in armis. [20]De poena possum equidem dicere, id quod res habet, in luctu atque miseriis mortem aerumnarum requiem, non cruciatum esse; eam cuncta mortalium mala dissolvere; ultra neque curae neque gaudio locum esse. [21]Sed, per deos immortalis, quam ob rem in sententiam non addidisti uti prius verberibus in eos animadvorteretur? [22]An quia lex Porcia vetat? At aliae leges item condemnatis civibus non animam eripi, sed exilium permitti iubent. [23]An quia gravius est verberari quam necari? Quid autem acerbum aut nimis grave est in homines tanti facinoris convictos? [24]Sin quia levius est, qui convenit in minore negotio legem timere, cum eam in maiore neglegeris?

«[25]At enim quis reprehendet quod in parricidas rei publicae decretum erit? Tempus, dies, fortuna, cuius lubido gentibus moderatur. Illis merito accidet quicquid evenerit; [26]ceterum vos, patres conscripti, quid in alios statuatis considerate.

re, odiare, meno di tutto adirarsi; *14* quella che per gli altri si chiama ira, nell'esercizio del potere prende il nome di superbia e di crudeltà. *15* Certo, padri coscritti, anch'io penso che qualsiasi supplizio sia sempre inferiore ai loro crimini. Ma gli esseri umani, in genere, ricordano solo gli avvenimenti del giorno prima; pur trattandosi di scellerati, dimenticano i loro˙ delitti, e discutono se la loro pena sia stata un po' troppo severa.

16 «So benissimo che Decimo Silano, uomo forte e valoroso, ha detto quel che ha detto per amor di patria, e che in una così grave circostanza non ha usato favori, non ha ceduto agli odi: conosco il suo carattere, la sua moderazione. *17* Tuttavia la sua proposta non mi sembra affatto crudele – d'altronde cosa si può fare di crudele a gente simile? – semmai estranea alla nostra costituzione. *18* Poiché non c'è dubbio, Silano, solo il timore, l'offesa fatta allo Stato possono aver indotto te, console designato, a proporre una pena eccezionale. *19* Di timore è superfluo parlare, specialmente adesso che, grazie allo zelo del nostro degnissimo console, tanti uomini si trovano in armi. *20* Sulla pena posso dire quel che è vero, e cioè che nella miseria, nel dolore, la morte non è un castigo, ma requie ai tormenti; essa dissolve tutti i mali degli esseri umani; nell'aldilà non c'è posto per gioie o per affanni[5]. *21* Ma, per gli dei immortali, per quale ragione nella tua proposta non hai aggiunto che prima venissero battuti con le verghe? *22* Forse perché lo vieta la legge Porcia? Però altre leggi proibiscono di togliere la vita ai condannati, ingiungono di concedere l'esilio. *23* Forse le verghe sono più gravi della morte? Ma quale pena è troppo acerba e crudele per rei confessi di un delitto così efferato? *24* Se è invece perché questa pena è troppo lieve, com'è che si può osservare una legge in un punto secondario, trascurarla in uno fondamentale?

25 «Ma chi avrà da ridire su una punizione decretata contro assassini dello Stato? Le circostanze, il tempo, la fortuna, il cui capriccio governa i popoli. Qualsiasi cosa capiterà loro, se la saranno meritata; *26* ma voi, padri coscritti, considerate

27Omnia mala exempla ex rebus bonis orta sunt. Sed ubi imperium ad ignaros [eius] aut minus bonos pervenit, novom illud exemplum ab dignis et idoneis ad indignos et non idoneos transfertur. 28Lacedaemonii devictis Atheniensibus triginta viros imposuere qui rem publicam eorum tractarent. 29Ei primo coepere pessumum quemque et omnibus invisum indemnatum necare: ea populus laetari et merito dicere fieri. 30Post, ubi paulatim licentia crevit, iuxta bonos et malos lubidinose interficere, ceteros metu terrere. 31Ita civitas, servitute oppressa, stultae laetitiae gravis poenas dedit. 32Nostra memoria, victor Sulla cum Damasippum et alios eius modi, qui malo rei publicae creverant, iugulari iussit, quis non factum eius laudabat? Homines scelestos et factiosos, qui seditionibus rem publicam exagitaverant, merito necatos aiebant. 33Sed ea res magnae initium cladis fuit. Nam uti quisque domum aut villam, postremo vas aut vestimentum alicuius concupiverat, dabat operam ut is in proscriptorum numero esset. 34Ita illi quibus Damasippi mors laetitiae fuerat paulo post ipsi trahebantur, neque prius finis iugulandi fuit quam Sulla omnis suos divitiis explevit. 35Atque ego haec non in M. Tullio neque his temporibus vereor; sed in magna civitate multa et varia ingenia sunt. 36Potest alio tempore, alio consule, cui item exercitus in manu sit, falsum aliquid pro vero credi. Ubi hoc exemplo per senatus decretum consul gladium eduxerit, quis illi finem statuet aut quis moderabitur?

«37Maiores nostri, patres conscripti, neque consili neque audaciae umquam eguere; neque illis superbia obstabat quo minus aliena instituta, si modo proba erant, imitarentur. 38Arma atque tela militaria ab Samnitibus, insignia magistratuum ab Tuscis pleraque sumpserunt; postremo, quod ubique

le conseguenze della vostra decisione. 27 Tutti gli abusi sono nati da provvedimenti in sé giusti. Ma quando il potere passa nelle mani di gente inetta, disonesta, un provvedimento eccezionale non viene più applicato a esseri indegni e meritevoli di pena, bensì a innocenti che non lo meritano. 28 Gli Spartani imposero agli Ateniesi sconfitti un governo di trenta uomini[6]. 29 All'inizio cominciarono a mandare a morte senza processo i cittadini peggiori, che nessuno poteva vedere: il popolo ne era felice, diceva che era ben fatto. 30 Poi, come crebbe a poco a poco l'arbitrio, si misero a sopprimere indifferentemente buoni e cattivi, a terrorizzare tutti gli altri. 31 Così la città, oppressa dalla tirannia, pagò a caro prezzo la sua ottusa esultanza. 32 Ai tempi nostri, quando Silla vincitore fece sgozzare Damasippo[7] e altri della sua risma, che avevano prosperato sulla rovina della repubblica, chi non lodava il suo operato? Si disse che erano degli scellerati, dei faziosi, dei perturbatori dell'ordine pubblico, e che avevano fatto bene ad ammazzarli. 33 Ma fu l'inizio di un'immensa strage. Poiché chiunque desiderava una casa, una villa, o anche solo del vasellame e dei vestiti, non doveva far altro che iscrivere i legittimi possessori nelle liste di proscrizione. 34 Così, quanti si erano rallegrati della morte di Damasippo, dopo un po' furono trascinati anch'essi al supplizio, e non si smise di sgozzare prima che Silla avesse colmato tutti i suoi di ricchezze. 35 Non che io tema queste cose con Marco Tullio, e di questi tempi; ma in una grande città ci sono molte persone, diversi caratteri. 36 In un altro momento, con un altro console, che disponesse egualmente di un esercito, può capitare che una notizia vera sia presa per falsa. Se un console, con questo precedente, sguainerà la spada per decreto del Senato, chi gli porrà un limite, chi potrà fermarlo?

37 «I nostri avi, padri coscritti, non mancarono mai né di saggezza né di coraggio; l'orgoglio non impediva loro di imitare istituzioni straniere, purché fossero buone[8]. 38 Dai Sanniti presero armi di difesa e di offesa, dagli Etruschi, in buona parte, le insegne dei magistrati[9]; ciò che era parso loro uti-

apud socios aut hostis idoneum videbatur, cum summo studio domi exsequebantur: imitari quam invidere bonis malebant. [39]Sed eodem illo tempore, Graeciae morem imitati, verberibus animadvortebant in civis, de condemnatis summum supplicium sumebant. [40]Postquam res publica adolevit et multitudine civium factiones valuere, circumveniri innocentes, alia huiuscemodi fieri coepere. Tum lex Porcia aliaeque leges paratae sunt, quibus legibus exilium damnatis permissum est. [41]Hanc ego causam, patres conscripti, quo minus novom consilium capiamus in primis magnam puto. [42]Profecto virtus atque sapientia maior illis fuit, qui ex parvis opibus tantum imperium fecere, quam in nobis, qui ea bene parta vix retinemus.

«[43]Placet igitur eos dimitti et augeri exercitum Catilinae? Minime. Sed ita censeo: publicandas eorum pecunias, ipsos in vinculis habendos per municipia quae maxume opibus valent, neu quis de eis postea ad senatum referat neve cum populo agat; qui aliter fecerit, senatum existumare eum contra rem publicam et salutem omnium facturum.»

LII. [1]Postquam Caesar dicundi finem fecit, ceteri verbo alius alii varie adsentiebantur. At M. Porcius Cato rogatus sententiam huiuscemodi orationem habuit:

«[2]Longe mihi alia mens est, patres conscripti, cum res atque pericula nostra considero et cum sententias nonnullorum ipse mecum reputo. [3]Illi mihi disseruisse videntur de poena eorum qui patriae, parentibus, aris atque focis suis bellum paravere; res autem monet cavere ab illis magis quam quid in illos statuamus consultare. [4]Nam cetera maleficia tum persequare ubi facta sunt; hoc nisi provideris ne accidat, ubi evenit, frustra iudicia implores: capta urbe nihil fit relicui victis. [5]Sed, per deos immortalis, vos ego appello, qui semper do-

le presso gli alleati o i nemici, si affrettavano ad applicarlo in patria: preferivano imitare, piuttosto che invidiare i buoni esempi. *39* Però in quel medesimo tempo, seguendo un uso dei Greci[10], battevano con verghe i cittadini, condannavano a morte i colpevoli. *40* Quando la repubblica crebbe, e per il gran numero dei cittadini si svilupparono potenti fazioni, gli innocenti cominciarono a essere perseguitati, abusi come questi si diffusero. Allora vennero promulgate la legge Porcia, e altre ancora che concessero l'esilio ai condannati. *41* È questa, padri coscritti, la maggior ragione contro qualsiasi innovazione. *42* Poiché, non c'è dubbio, chi ha creato con mezzi modesti un impero così vasto, aveva più saggezza e più virtù di noi, che fatichiamo a conservare ciò che essi hanno acquistato con il solo merito.

43 «Dovremo allora lasciarli andare, perché infittiscano l'esercito di Catilina? Niente affatto. Propongo invece che i loro beni siano confiscati, i prigionieri distribuiti nelle carceri dei municipi più attrezzati, che sia posto divieto, per il futuro, di dibattere su di essi sia in Senato che dinanzi al popolo. Se qualcuno agirà diversamente, il Senato lo giudichi nemico dello Stato e della salute pubblica[11].»

LII. *1* Dopo che Cesare pose fine al suo discorso, gli altri assentivano laconicamente per l'uno o per l'altro[1]. Ma Marco Porcio Catone[2], interpellato, si espresse più o meno in questi termini[3]:

2 «Ben diverso è il mio pensiero, padri coscritti, quando considero la situazione nella quale ci troviamo, i pericoli che corriamo; e quando ripenso ad alcuni pareri che sono stati espressi[4]. *3* Hanno dissertato sulle pene per chi ha preparato una guerra contro la patria, i parenti, gli altari, i focolari domestici; ma la situazione esige di premunirci contro di loro, non di stare a discutere sulle condanne da infliggere. *4* Poiché gli altri crimini li puoi punire dopo che sono stati commessi; ma questo, guai se non provvedi a non farlo accadere: implorerai invano le leggi, quando sarà accaduto[5]. Presa la città, nulla resta per i vinti. *5* Ma, per gli dei immortali, io mi rivol-

mos, villas, signa, tabulas vostras pluris quam rem publicam fecistis: si ista, cuiuscumque modi sunt, quae amplexamini, retinere, si voluptatibus vostris otium praebere voltis, expergiscimini aliquando et capessite rem publicam. [6]Non agitur de vectigalibus neque de sociorum iniuriis; libertas et anima nostra in dubio est.

«[7]Saepe numero, patres conscripti, multa verba in hoc ordine feci; saepe de luxuria atque avaritia nostrorum civium questus sum, multosque mortalis ea causa advorsos habeo. [8]Qui mihi atque animo meo nullius umquam delicti gratiam fecissem, haud facile alterius lubidini malefacta condonabam. [9]Sed ea tametsi vos parvi pendebatis, tamen res publica firma erat: opulentia neglegentiam tolerabat. [10]Nunc vero non id agitur bonisne an malis moribus vivamus, neque quantum aut quam magnificum imperium populi Romani sit, sed haec, cuiuscumque modi videntur, nostra an nobiscum una hostium futura sint. [11]Hic mihi quisquam mansuetudinem et misericordiam nominat? Iampridem equidem nos vera vocabula rerum amisimus: quia bona aliena largiri liberalitas, malarum rerum audacia fortitudo vocatur, eo res publica in extremo sita est. [12]Sint sane, quoniam ita se mores habent, liberales ex sociorum fortunis; sint misericordes in furibus aerari; ne illi sanguinem nostrum largiantur et, dum paucis sceleratis parcunt, bonos omnis perditum eant.

«[13]Bene et composite C. Caesar paulo ante in hoc ordine de vita et morte disseruit, credo, falsa existumans ea quae de inferis memorantur, divorso itinere malos a bonis loca taetra, inculta, foeda atque formidulosa habere.

«[14]Itaque censuit pecunias eorum publicandas, ipsos per municipia in custodiis habendos, videlicet timens ne, si Romae sint, aut a popularibus coniurationis aut a multitudine

go a voi, che avete sempre tenuto ai vostri palazzi, alle vostre ville, alle statue, ai vostri dipinti più che alla repubblica: se volete conservare questi beni che tanto vi stanno a cuore, comunque valgano, se volete godervi in pace i vostri piaceri, scuotetevi una buona volta e prendete in pugno le sorti della repubblica. 6 Non stiamo trattando di tasse, di offese agli alleati; sono in pericolo la libertà, la vita.

7 «Spesse volte, padri coscritti, ho parlato a lungo dinanzi a questa assemblea; spesso ho deplorato il lusso e l'avidità dei nostri concittadini, e per questo mi sono fatto numerosi nemici[6]. 8 Poiché non perdonavo a me stesso e alla mia coscienza la più piccola mancanza, non potevo perdonare agli altri gli eccessi delle loro passioni. 9 Ma se anche tenevate in scarsa considerazione le mie parole, però lo Stato era saldo: la sua floridezza consentiva la vostra incuria. 10 Ma ora non si tratta di sapere se viviamo una vita virtuosa o viziosa; né dissertiamo sullo splendore e sulla potenza dell'impero del popolo romano: vogliamo sapere se tutto questo, comunque vogliate considerarlo, appartiene ancora a noi o stia per cadere con noi nelle mani dei nemici. 11 E ancora qualcuno viene a parlarmi di pietà, di clemenza? Ma è da tempo che abbiamo perduto il vero significato delle parole: poiché profondere i beni altrui lo chiamano liberalità; l'audacia nel male è detta forza d'animo, e per questo lo Stato è allo sfascio. 12 Ma siano liberali, se questi sono oggi i costumi, con i beni dei nostri alleati; siano clementi con i ladroni del pubblico denaro; purché non siano prodighi del nostro sangue, purché, per salvare pochi scellerati, non mandino in rovina tutta la gente onesta.

13 «Con sottigliezza, con arte poco fa Gaio Cesare ha dissertato, dinanzi a questa assemblea, sulla vita e sulla morte, reputando falsi, io credo, i racconti che si fanno sull'oltretomba, negando che i malvagi, per un cammino diverso dai buoni, vadano a dimorare in luoghi tetri, desolati, turpi e spaventosi[7].

14 «Ha proposto così di confiscare i beni dei colpevoli, e di trasferirli agli arresti in vari municipi, di certo nel timore che, rimanendo a Roma, fossero liberati a forza dai complici della

conducta per vim eripiantur: [15]quasi vero mali atque scelesti tantummodo in urbe et non per totam Italiam sint, aut non ibi plus possit audacia ubi ad defendendum opes minores sunt. [16]Quare vanum equidem hoc consilium est, si periculum ex illis metuit; si in tanto omnium metu solus non timet, eo magis refert me mihi atque vobis timere. [17]Quare cum de P. Lentulo ceterisque statuetis, pro certo habetote vos simul de exercitu Catilinae et de omnibus coniuratis decernere. [18]Quanto vos attentius ea agetis, tanto illis animus infirmior erit; si paululum modo vos languere viderint, iam omnes feroces aderunt.

«[19]Nolite existumare maiores nostros armis rem publicam ex parva magnam fecisse. [20]Si ita res esset, multo pulcherrumam eam nos haberemus, quippe sociorum atque civium, praeterea armorum atque equorum maior copia nobis quam illis est. [21]Sed alia fuere quae illos magnos fecere, quae nobis nulla sunt: domi industria, foris iustum imperium, animus in consulendo liber, neque delicto neque lubidini obnoxius. [22]Pro his nos habemus luxuriam atque avaritiam, publice egestatem, privatim opulentiam; laudamus divitias, sequimur inertiam; inter bonos et malos discrimen nullum; omnia virtutis praemia ambitio possidet. [23]Neque mirum: ubi vos separatim sibi quisque consilium capitis, ubi domi voluptatibus, hic pecuniae aut gratiae servitis, eo fit ut impetus fiat in vacuam rem publicam.

«Sed ego haec omitto. [24]Coniuravere nobilissumi cives patriam incendere; Gallorum gentem infestissumam nomini Romano ad bellum arcessunt; dux hostium cum exercitu supra caput est: [25]vos cunctamini etiam nunc et dubitatis quid intra moenia deprehensis hostibus faciatis? [26]Misereamini, censeo: deliquere homines adulescentuli per ambitionem; atque etiam armatos dimittatis; [27]ne ista vobis mansuetudo et misericor-

congiura o dalla plebaglia prezzolata: *15* come se i farabutti e gli scellerati vivessero solo a Roma, e non in qualsiasi parte d'Italia; come se l'audacia non avesse più potere dove i mezzi di difesa sono minori. *16* Dunque, se paventa un pericolo da parte dei congiurati, il suo parere è assurdo; se invece, nel timore generale, egli solo non ha paura, tanto più io ho ragione di averne per me e per voi. *17* Quando prenderete una decisione su Publio Lentulo e gli altri, sappiate che riguarderà anche l'esercito di Catilina e tutti i congiurati. *18* Quanto più energicamente agirete, tanto più il loro animo si farà debole; se solo scorgeranno in voi qualche esitazione, presto si leveranno tutti pieni di ferocia.

19 «Non crediate che i nostri avi abbiano fatta grande la repubblica con le armi. *20* Se così fosse, oggi sarebbe ancora più bella: non godiamo forse, rispetto a loro, di un maggior numero di alleati e di cittadini, di armi e di cavalli? *21* Ma sono altre le qualità che l'hanno fatta grande, e che noi non abbiamo proprio: un'attività operosa in patria, un giusto e autorevole governo fuori; un animo libero nel decidere, non sottomesso ai rimorsi e alla passione. *22* Ma in cambio noi possediamo fasto e avidità; le finanze pubbliche sono in rovina, ma siamo opulenti nella vita privata; esaltiamo le ricchezze, ma aspiriamo all'ozio; nessuno fa più distinzione tra onesti e disonesti; le ricompense della virtù sono tutte concentrate nelle mani di intriganti. *23* C'è da stupirsi? Poiché ciascuno di voi pensa solo al suo particolare, poiché in casa siete schiavi dei piaceri, qui del denaro o dei favori, è inevitabile che si dia l'assalto a uno Stato indifeso.

«Ma tralascio queste cose. *24* Cittadini di illustre nobiltà hanno congiurato per mettere a ferro e fuoco la patria; chiamano alla guerra il popolo dei Galli, il più ostile al nome di Roma[8]; il capo dei nemici con il suo esercito è alle porte: *25* e voi ancora esitate, indecisi sulle misure da prendere contro nemici sorpresi dentro le mura? *26* Abbiatene pietà, vi raccomando: sono ragazzi, hanno sbagliato per troppa ambizione; lasciateli andare, con le armi naturalmente; *27* purché questa

dia, si illi arma ceperint, in miseriam convertat. [28]Scilicet res ipsa aspera est, sed vos non timetis eam. Immo vero maxume; sed inertia et mollitia animi alius alium exspectantes cunctamini, videlicet dis immortalibus confisi qui hanc rem publicam saepe in maxumis periculis servavere. [29]Non votis neque suppliciis muliebribus auxilia deorum parantur: vigilando, agendo, bene consulendo prospera omnia cedunt. Ubi socordiae te atque ignaviae tradideris, nequiquam deos implores; irati infestique sunt.

« [30]Apud maiores nostros A. Manlius Torquatus bello Gallico filium suum, quod is contra imperium in hostem pugnaverat, necari iussit, [31]atque ille egregius adulescens immoderatae fortitudinis morte poenas dedit; vos de crudelissumis parricidis quid statuatis cunctamini? Videlicet cetera vita eorum huic sceleri obstat. [32]Verum parcite dignitati Lentuli, si ipse pudicitiae, si famae suae, si dis aut hominibus umquam ullis pepercit; [33]ignoscite Cethegi adulescentiae, nisi iterum patriae bellum fecit. [34]Nam quid ego de Gabinio, Statilio, Caepario loquar? quibus si quicquam umquam pensi fuisset, non ea consilia de re publica habuissent.

« [35]Postremo, patres conscripti, si mehercule peccato locus esset, facile paterer vos ipsa re corrigi, quoniam verba contemnitis. Sed undique circumventi sumus; Catilina cum exercitu faucibus urget; alii intra moenia atque in sinu urbis sunt hostes, neque parari neque consuli quicquam potest occulte: quo magis properandum est.

« [36]Quare ego ita censeo: cum nefario consilio sceleratorum civium res publica in maxuma pericula venerit, eique indicio T. Volturci et legatorum Allobrogum convicti confessique

80

mitezza, questa indulgenza non si converta in rovina per voi, quando le avranno impugnate. *28* Certo la situazione è grave, ma voi non avete paura. Anzi, ne avete moltissima; ma per inerzia, per inettitudine, state lì ad aspettare che qualcun altro prenda l'iniziativa. Certo confidate negli dei immortali: non salvarono la repubblica in pericoli maggiori? *29* Ma l'aiuto degli dei non si ottiene con i voti e le suppliche delle donne: ma con veglie, con l'azione, con sagge decisioni tutti gli eventi finiscono per volgersi a nostro favore. Se ti abbandoni al torpore, all'ignavia, supplichi invano gli dei; loro restano irati, ostili.

30 «Al tempo dei nostri avi Aulo Manlio Torquato[9], durante la guerra gallica, fece condannare a morte suo figlio, perché si era battuto con il nemico contravvenendo agli ordini impartiti: *31* quel nobile giovane pagò con la vita il suo indisciplinato ardimento. *32* E voi ancora esitate sulla pena da infliggere a degli spietati assassini? *33* Oh, naturalmente il loro passato smentisce questi delitti. Ebbene, abbiate riguardo per la dignità di Lentulo, se mai ne ebbe egli stesso per il suo onore, la sua reputazione, per gli dei o per gli uomini; perdonate alla giovane età di Cetego, se non che è la seconda volta che muove guerra allo Stato. *34* E di un Gabinio, di uno Statilio, di un Cepario, cosa dovrei dire? Se avessero mai avuto qualche scrupolo, non avrebbero mai concepito questo piano contro lo Stato.

35 «E infine, padri coscritti, se per Ercole ci fosse consentito di sbagliare, volentieri lascerei che fossero gli eventi a correggervi, poiché non tenete in alcun conto le mie parole. Ma da ogni parte siamo circondati; Catilina con l'esercito ci stringe alla gola; altri nemici son dentro le mura, fin nel cuore della città; e non c'è nulla che possiamo approntare o deliberare in segreto: motivo di più per affrettarci.

36 «Perciò questo è il mio parere: poiché per un empio complotto di cittadini scellerati la repubblica versa in un grave pericolo, ed essi stessi, per loro diretta confessione e su denuncia di Tito Volturcio e degli ambasciatori allobrogi, sono

sint caedem, incendia, aliaque se foeda atque crudelia facinora in civis patriamque paravisse, de confessis, sicuti de manufestis rerum capitalium, more maiorum supplicium sumendum.»

LIII. [1]Postquam Cato adsedit, consulares omnes itemque senatus magna pars sententiam eius laudant, virtutem animi ad caelum ferunt; alii alios increpantes timidos vocant. Cato clarus atque magnus habetur; senati decretum fit sicuti ille censuerat.

[2]Sed mihi multa legenti, multa audienti quae populus Romanus domi militiaeque, mari atque terra, praeclara facinora fecit, forte lubuit adtendere quae res maxume tanta negotia sustinuisset. [3]Sciebam saepe numero parva manu cum magnis legionibus hostium contendisse; cognoveram parvis copiis bella gesta cum opulentis regibus; ad hoc saepe fortunae violentiam toleravisse; facundia Graecos, gloria belli Gallos ante Romanos fuisse. [4]Ac mihi multa agitanti constabat paucorum civium egregiam virtutem cuncta patravisse, eoque factum uti divitias paupertas, multitudinem paucitas superaret. [5]Sed postquam luxu atque desidia civitas corrupta est, rursus res publica magnitudine sua imperatorum atque magistratuum vitia sustentabat ac, sicuti <esset> effeta par*iendo*, multis tempestatibus haud sane quisquam Romae virtute magnus fuit. [6]Sed memoria mea ingenti virtute, divorsis moribus fuere viri duo, M. Cato et C. Caesar. Quos quoniam res obtulerat, silentio praeterire non fuit consilium quin utriusque naturam et mores, quantum ingenio possem, aperirem.

LIV. [1]Igitur eis genus, aetas, eloquentia, prope aequalia fuere; magnitudo animi par, item gloria, sed alia alii. [2]Caesar beneficiis ac munificentia magnus habebatur, integritate vitae

stati riconosciuti colpevoli di aver ordito contro i cittadini e contro la patria massacri, incendi e altri crudeli e infami attentati, dal momento che sono rei confessi, sia inflitta loro la pena di morte secondo l'uso dei nostri avi, come se fossero stati colti in flagrante[10].»

LIII. *1* Dopo che Catone si fu seduto, tutti i consolari e buona parte del Senato plaudirono alla sua proposta. Portavano alle stelle il suo coraggio; si scambiavano parole offensive, si davano a vicenda del vigliacco. Catone venne giudicato grande e nobile; il Senato finì per approvare un decreto conforme al suo parere[1].

2 Ma in me, che di continuo leggevo e udivo le gesta gloriose del popolo romano in pace e in guerra, sul mare e in terra, sorse per avventura il desiderio di indagare quali forze avessero sorretto imprese così ardue[2]. *3* Sapevo che sovente con un pugno di uomini avevano combattuto grandi eserciti di nemici; ero a conoscenza che con scarsi mezzi avevano mosso guerra a re potentissimi, e spesso sopportato i rovesci della fortuna; che i Greci erano stati superiori nell'eloquenza[3], i Galli per gloria militare[4]. *4* E a me che molto riflettevo, risultò chiaro che solo il valore irripetibile di pochi cittadini aveva tutto compiuto, e fatto in modo che la povertà prevalesse sulla ricchezza, poche persone su intere moltitudini. *5* Ma dopo che la città fu corrotta dall'ozio e dal lusso, solo con la sua potenza lo Stato poté sostenere i vizi di generali e di magistrati; come fosse stremata da numerosi parti, a lungo in Roma nessun uomo apparve di grande valore. *6* Eppure due ce ne furono ai miei tempi di eccelso valore, benché di carattere opposto, Marco Catone e Gaio Cesare. Non ho voluto, data l'occasione, passarli sotto silenzio, ma dire di loro, finché mi soccorre l'ingegno, l'animo e i costumi[5].

LIV. *1* Per nobiltà, dunque, per eloquenza ed età furono si può dire pari[1]; e, benché diversi, per altezza d'animo, per gloria. *2* Cesare stimato grande per generosità e magnificenza;

Cato. Ille mansuetudine et misericordia clarus factus, huic severitas dignitatem addiderat. ³Caesar dando, sublevando, ignoscendo, Cato nihil largiundo gloriam adeptus est. In altero miseris perfugium erat, in altero malis pernicies. Illius facilitas, huius constantia laudabatur. ⁴Postremo Caesar in animum induxerat laborare, vigilare, negotiis amicorum intentus sua neglegere, nihil denegare quod dono dignum esset; sibi magnum imperium, exercitum, bellum novom exoptabat ubi virtus enitescere posset. ⁵At Catoni studium modestiae, decoris, sed maxume severitatis erat. ⁶Non divitiis cum divite neque factione cum factioso, sed cum strenuo virtute, cum modesto pudore, cum innocente abstinentia certabat. Esse quam videri bonus malebat; ita, quo minus petebat gloriam, eo magis illum assequebatur.

LV. ¹Postquam, ut dixi, senatus in Catonis sententiam discessit, consul optumum factu ratus noctem quae instabat antecapere ne quid eo spatio novaretur, trisviros quae [ad] supplicium postulabat parare iubet; ²ipse, praesidiis dispositis, Lentulum in carcerem deducit; idem fit ceteris per praetores. ³Est in carcere locus, quod Tullianum appellatur, ubi paululum ascenderis ad laevam, circiter duodecim pedes humi depressus. ⁴Eum muniunt undique parietes atque insuper camera lapideis fornicibus iuncta; sed incultu, tenebris, odore foeda atque terribilis eius facies est. ⁵In eum locum postquam demissus est Lentulus, vindices rerum capitalium, quibus praeceptum erat, laqueo gulam fregere. ⁶Ita ille patricius ex gente clarissuma Corneliorum, qui consulare imperium Romae habuerat, dignum moribus factisque suis exitium vitae invenit. De Cethego, Statilio, Gabinio, Caepario eodem modo supplicium sumptum est.

Catone per integrità di vita. Se il primo era celebre per umanità e clemenza, la dignità, nell'altro, era effetto del suo rigore. *3* Cesare conseguì la gloria con donativi, con aiuti, perdonando; Catone non facendo alcuna concessione. Uno costituiva il rifugio dei poveri; ma l'altro la rovina dei malvagi. Del primo veniva lodata l'indulgenza, del secondo la fermezza. *4* Cesare, finalmente, si era prefissato nell'animo di essere vigile, attivo. Attento agli interessi degli amici, trascurava i propri; non rifiutava nulla che valesse la pena di essere accordato; desiderava per sé un alto comando, un esercito, una guerra inaudita[2], in cui il suo valore potesse risplendere. *5* Ma Catone invece aveva pensiero solo per la modestia, per il decoro, e soprattutto per l'austerità; *6* non gareggiava in ricchezze con i ricchi, in intrighi con gli intriganti, ma con i forti in coraggio, con i saggi in riserbo, con gli onesti in integrità; preferiva essere virtuoso piuttosto che sembrarlo[3]: così, quanto meno cercava la gloria, tanto più essa lo seguiva[4].

LV. *1* Il Senato, come ho detto, aveva approvato la proposta di Catone, e il console, ritenendo che fosse meglio approfittare della notte che già incombeva, poiché paventava un colpo di mano in quel lasso di tempo, ordina ai triumviri[1] di approntare tutto il necessario per l'esecuzione; *2* disposti i corpi di guardia, conduce di persona Lentulo in carcere; gli altri, li fa scortare dai pretori. *3* C'è nel carcere un luogo che è chiamato Tulliano[2], posto, se si sale per un tratto a sinistra, a circa dodici piedi sotto il livello del suolo. *4* Pareti tutt'intorno; in alto, una volta a cupola formata da archi di pietra; la desolazione, le tenebre, il fetore gli conferiscono un aspetto terrificante e sinistro. *5* Dopo che Lentulo vi fu calato, gli esecutori capitali, in conformità agli ordini ricevuti, lo strangolarono con un laccio. *6* Così un patrizio della nobilissima famiglia dei Corneli, che aveva esercitato in Roma la potestà consolare, trovò una fine degna dei suoi costumi e delle sue gesta. Cetego, Statilio, Gabinio e Cepario vennero giustiziati nel medesimo modo[3].

LVI. [1]Dum ea Romae geruntur, Catilina ex omni copia quam et ipse adduxerat et Manlius habuerat, duas legiones instituit; cohortis pro numero militum complet. [2]Deinde, ut quisque voluntarius aut ex sociis in castra venerat, aequaliter distribuerat, ac brevi spatio legiones numero hominum expleverat, cum initio non amplius duobus milibus habuisset. [3]Sed ex omni copia circiter pars quarta erat militaribus armis instructa; ceteri, ut quemque casus armaverat, sparos aut lanceas, alii praeacutas sudis portabant. [4]Sed postquam Antonius cum exercitu adventabat, Catilina per montis iter facere; modo ad urbem, modo Galliam vorsus castra movere; hostibus occasionem pugnandi non dare: sperabat propediem magnas copias sese habiturum, si Romae socii incepta patravissent. [5]Interea servitia repudiabat, cuius initio ad eum magnae copiae concurrebant, opibus coniurationis fretus, simul alienum suis rationibus existumans videri causam civium cum servis fugitivis communicavisse.

LVII. [1]Sed postquam in castra nuntius pervenit Romae coniurationem patefactam, de Lentulo et Cethego ceterisque quos supra memoravi supplicium sumptum, plerique, quos ad bellum spes rapinarum aut novarum rerum studium inlexerat, dilabuntur; relicuos Catilina per montis asperos magnis itineribus in agrum Pistoriensem abducit, eo consilio uti per tramites occulte perfugeret in Galliam Transalpinam. [2]At Q. Metellus Celer cum tribus legionibus in agro Piceno praesidebat, ex difficultate rerum eadem illa existumans, quae supra diximus, Catilinam agitare. [3]Igitur, ubi iter eius ex perfugis cognovit, castra propere movit ac sub ipsis radicibus montium consedit, qua illi descensus erat in Galliam properanti. [4]Neque tamen Antonius procul aberat, utpote qui magno

LVI. *1* Mentre queste cose in Roma accadevano, Catilina, con gli uomini che aveva condotto con sé e con quelli di Manlio[1], metteva insieme due legioni, formando le coorti in proporzione al numero dei soldati. *2* Nei giorni successivi distribuiva man mano in misura uguale tutti quelli che giungevano al campo, volontari o compagni di congiura. all'inizio non aveva avuto più di duemila uomini[2]; nel giro di poco tempo riuscì a completare l'organico regolare di una legione. *3* Però di tutta quella gente forse appena un quarto era equipaggiata con armamenti militari; gli altri brandivano, armati solo dal caso, semplici aste, spari, o pali appuntiti[3]. *4* Ma dopo che Antonio[4] con l'esercito cominciò ad avvicinarsi, Catilina prese la via dei monti: ora muoveva il campo verso Roma, ora in direzione della Gallia; non voleva concedere ai nemici l'opportunità di combattere. Confidava che presto avrebbe avuto grossi rinforzi, se a Roma i suoi ce l'avessero fatta. *5* Nel frattempo respingeva gli schiavi[5], che all'inizio in massa erano accorsi da lui: contava sulle risorse della congiura, e gli pareva che fosse contrario ai propri interessi far credere di aver unificato la causa dei cittadini con quella di schiavi fuggiaschi.

LVII. *1* Ma quando al campo giunse notizia che la congiura in Roma era stata scoperta, che Lentulo, Cetego e gli altri di cui ho detto, erano stati giustiziati, moltissimi, che erano stati attratti alla guerra dalla speranza di rapine e dalla smania di rivolgimenti politici, si dileguano; quelli che restano, a marce forzate, per passi scoscesi, Catilina li conduce verso il territorio di Pistoia, con l'intenzione di riparare segretamente, per vie poco battute, nella Gallia transalpina. *2* Ma Quinto Metello Celere[1] era stanziato a guardia nel Piceno con tre legioni: riflettendo sulle difficoltà in cui Catilina si dibatteva, aveva intuito il suo piano. *3* Appena seppe dai disertori dov'era diretto, fulmineamente levò il campo e si pose ai piedi dei monti da dove Catilina, in rapido cammino verso la Gallia, doveva necessariamente discendere[2]. *4* Del resto nemmeno Antonio era molto distante: braccava il nemico in fuga con il

exercitu locis aequioribus expedit*us* in fuga sequeretur. [5]Sed Catilina, postquam videt montibus atque copiis hostium sese clausum, in urbe res advorsas, neque fugae neque praesidi ullam spem, optumum factu ratus in tali re fortunam belli temptare, statuit cum Antonio quam primum confligere. [6]Itaque contione advocata huiuscemodi orationem habuit:

LVIII. «[1]Conpertum ego habeo, milites, verba virtutem non addere, neque ex ignavo strenuum, neque fortem ex timido exercitum oratione imperatoris fieri. [2]Quanta cuiusque animo audacia natura aut moribus inest, tanta in bello patere solet. Quem neque gloria neque pericula excitant, nequiquam hortere; timor animi auribus officit. [3]Sed ego vos quo pauca monerem advocavi, simul uti causam mei consili aperirem.

«[4]Scitis equidem, milites, socordia atque ignavia Lentuli quantam ipsi nobisque cladem attulerit, quoque modo, dum ex urbe praesidia opperior, in Galliam proficisci nequiverim. [5]Nunc vero quo loco res nostrae sint iuxta mecum omnes intellegitis. [6]Exercitus hostium duo, unus ab urbe, alter a Gallia obstant. Diutius in his locis esse, si maxume animus ferat, frumenti atque aliarum rerum egestas prohibet. [7]Quocumque ire placet, ferro iter aperiundum est. [8]Quapropter vos moneo uti forti atque parato animo sitis et, cum proelium inibitis, memineritis vos divitias, decus, gloriam, praeterea libertatem atque patriam in dextris vostris portare. [9]Si vincimus, omnia nobis tuta erunt; commeatus abunde, municipia atque coloniae patebunt. [10]Si metu cesserimus, eadem illa advorsa fient, neque locus neque amicus quisquam teget quem arma non texerint. [11]Praeterea, milites, non eadem nobis et illis necessitudo impendet: nos pro patria, pro libertate, pro vita certamus; illis supervacaneum est pugnare pro potentia paucorum.

vantaggio di un grande esercito, muovendosi rapido su un terreno pianeggiante. *5* Ma Catilina, quando si vide intrappolato fra i monti e le truppe nemiche, conoscendo che a Roma la rivolta era fallita, e che non aveva alcuna speranza di fuga né di aiuto, ritenendo fosse meglio, in una tale situazione, tentare la sorte in battaglia, prese la risoluzione di scontrarsi al più presto con Antonio. *6* Adunò tutti i suoi uomini, e parlò loro così[3]:

LVIII. *1* «Io so bene, miei soldati, che i discorsi non infondono coraggio, e che un esercito non si tramuta, per le parole di un generale, da strenuo in vile; né da codardo in coraggioso[1]. *2* Il valore mostrato in guerra, è quello che già era, per natura o per educazione, dentro ognuno di noi. Esortiamo invano chi già non s'infiamma alla gloria o ai pericoli: la paura del cuore rende sorde le sue orecchie. *3* Ma io vi ho convocati per darvi qualche avvertimento, e nello stesso tempo per esporvi il motivo della mia risoluzione.

4 «Già conoscete, soldati, quale rovina a sé e a noi Lentulo abbia arrecato con la sua stoltezza e la sua indolenza[2], e come, mentre attendevo rinforzi da Roma, io non abbia potuto muovermi alla volta della Gallia. *5* E ora capite non meno di me a che punto siamo. *6* Ci tagliano la strada due eserciti nemici, uno sulla via di Roma, l'altro della Gallia. Restare qui più a lungo, anche lo volessimo, non si può, per mancanza di grano e di tutto il resto; *7* ovunque vorremo andare, dovremo aprirci il varco con le spade. *8* Perciò vi esorto a esser forti e risoluti; a ricordarvi, quando entrerete in battaglia, che ricchezze, onore, gloria, la libertà, e la patria, sono nelle vostre mani. *9* Se vinciamo, sarà tutto nostro: avremo rifornimenti in abbondanza, municipi e colonie ci spalancheranno le porte. *10* Se per paura torneremo sui nostri passi, tutto si volgerà contro di noi; nessun luogo, nessun amico a difendere chi non ha saputo difendersi con le proprie armi. *11* Soldati, non ci sovrasta una medesima necessità: noi ci battiamo per la patria, la libertà, la vita; ma loro non sanno che farsene di com-

¹²Quo audacius adgredimini, memores pristinae virtutis. ¹³Licuit vobis cum summa turpitudine in exilio aetatem agere; potuistis nonnulli Romae, amissis bonis, alienas opes expectare. ¹⁴Quia illa foeda atque intoleranda viris videbantur, haec sequi decrevistis. ¹⁵Si haec relinquere voltis, audacia opus est; nemo nisi victor pace bellum mutavit. ¹⁶Nam in fuga salutem sperare, cum arma quibus corpus tegitur ab hostibus avorteris, ea vero dementia est. ¹⁷Semper in proelio eis maxumum est periculum qui maxume timent; audacia pro muro habetur.

«¹⁸Cum vos considero, milites, et cum facta vostra aestumo, magna me spes victoriae tenet. ¹⁹Animus, aetas, virtus vostra me hortantur, praeterea necessitudo, quae etiam timidos fortis facit. ²⁰Nam multitudo hostium ne circumvenire queat prohibent angustiae loci. ²¹Quod si virtuti vostrae fortuna inviderit, cavete inulti animam amittatis, neu capti potius sicuti pecora trucidemini quam virorum more pugnantes cruentam atque luctuosam victoriam hostibus relinquatis.»

LIX. ¹Haec ubi dixit, paululum commoratus, signa canere iubet atque instructos ordines in locum aequom deducit. Dein, remotis omnium equis quo militibus exaequato periculo animus amplior esset, ipse pedes exercitum pro loco atque copiis instruit. ²Nam uti planities erat inter sinistros montis et ab dextra rupe*m* aspera*m*, octo cohortis in fronte constituit, relicuarum signa in subsidio artius conlocat. ³Ab eis centuriones, omnis lectos et evocatos, praeterea ex gregariis militibus optumum quemque armatum in primam aciem subducit. C. Manlium in dextra, Faesulanum quendam in sinistra parte curare iubet: ipse cum libertis et colonis propter aquilam adsistit, quam bello Cimbrico C. Marius in exercitu habuisse dicebatur.

battere per la potenza di pochi. *12* Dunque assaliteli con più animo, rammentate l'antico valore. *13* Vi era dato di trascorrere la vita in esilio, nel disonore; qualcuno di voi, perduto ogni avere, poteva sperare di vivere a Roma della carità altrui. *14* Ma avete scelto questa vita, poiché l'altra sembrava turpe, intollerabile per dei veri uomini. *15* Volete andarvene? Ci vuole coraggio: nessuno, solo i vincitori sanno mutare la guerra in pace. *16* Poiché sperare di salvarsi con la fuga, dopo aver distolto dai nemici le armi che sono nostra difesa, è pura follia. *17* È sempre chi ha più paura, in battaglia, a correr maggior pericolo: il coraggio è il nostro vero baluardo[3].

18 «Quando vi considero, soldati, e penso alle vostre imprese, mi prende una grande speranza di vittoria. *19* Mi confortano l'ardore, l'età, il vostro coraggio; e la necessità, che rende forte anche chi è pavido. *20* Poiché questi luoghi sono angusti, e impediscono ai nemici, anche numerosi, di accerchiarci. *21* Ma infine, se la fortuna sarà ostile al vostro valore, io vi esorto a non perdere la vita invendicati: battetevi da uomini; lasciate ai nemici una vittoria insanguinata e luttuosa, piuttosto che finir catturati e sgozzati come bestie.»

LIX. *1* Ha appena finito di parlare, quando, dopo un attimo di pausa, ordina di suonare il segnale d'attacco. Guida le truppe a ranghi schierati su un terreno pianeggiante. Fa allontanare tutti i cavalli[1]. Vuole infondere più coraggio ai soldati, rendendo uguali i loro pericoli. Egli stesso, a piedi, dispone l'esercito secondo la natura del terreno e le caratteristiche dei soldati. *2* Poiché una pianura si stendeva tra i monti a sinistra e una rupe scoscesa sulla destra, stanzia otto coorti sul fronte; il resto lo tiene come riserva, a ranghi serrati. *3* Da questi ranghi preleva i centurioni, tutti veterani e uomini scelti; fra i soldati, quelli meglio armati, e li pone in prima linea. A Manlio affida il comando dell'ala destra, a uno di Fiesole la sinistra: egli, con i liberti e con i coloni, si colloca accanto all'aquila[2] che si diceva appartenuta a Mario nella guerra contro i Cimbri[3].

⁴At ex altera parte C. Antonius, pedibus aeger, quod proelio adesse nequibat, M. Petreio legato exercitum permittit. ⁵Ille cohortis veteranas, quas tumulti causa conscripserat, in fronte, post eas ceterum exercitum in subsidiis locat. Ipse equo circumiens unumquemque nominans appellat, hortatur, rogat ut meminerint se contra latrones inermos pro patria, pro liberis, pro aris atque focis suis certare. ⁶Homo militaris, quod amplius annos triginta tribunus aut praefectus aut legatus aut praetor cum magna gloria in exercitu fuerat, plerosque ipsos factaque eorum fortia noverat; ea commemorando militum animos accendebat.

LX. ¹Sed ubi omnibus rebus exploratis Petreius tuba signum dat, cohortis paulatim incedere iubet; idem facit hostium exercitus. ²Postquam eo ventum est unde a ferentariis proelium committi posset, maxumo clamore cum infestis signis concurrunt; pila omittunt, gladiis res geritur. ³Veterani, pristinae virtutis memores, comminus acriter instare; illi haud timidi resistunt: maxuma vi certatur. ⁴Interea Catilina cum expeditis in prima acie versari, laborantibus succurrere, integros pro sauciis arcessere, omnia providere, multum ipse pugnare, saepe hostem ferire; strenui militis et boni imperatoris officia simul exsequebatur. ⁵Petreius, ubi videt Catilinam contra ac ratus erat magna vi tendere, cohortem praetoriam in medios hostis inducit, eosque perturbatos atque alios alibi resistentis interficit; deinde utrimque ex lateribus ceteros adgreditur. ⁶Manlius et Faesulanus in primis pugnantes cadunt. ⁷Catilina postquam fusas copias seque cum paucis relicuom videt, memor generis atque pristinae suae dignitatis, in confertissumos hostis incurrit ibique pugnans confoditur.

4 Ma dall'altra parte Gaio Antonio, che soffriva di gotta, poiché non può partecipare alla battaglia[4], affida l'esercito al legato Marco Petreio. *5* Questi dispone in prima linea le coorti dei veterani, che erano stati richiamati a causa della ribellione; dietro di loro, come riserva, il resto dell'esercito. Percorre le file a cavallo, chiama i soldati a uno a uno per nome, li sprona, li prega di ricordare che si batteranno contro banditi male armati per la patria, per i figli, per gli altari e i focolari domestici. *6* Era un uomo d'armi, e aveva militato nell'esercito con grande gloria per più di trent'anni; era stato tribuno, prefetto, legato, pretore, e conosceva di persona quasi tutti i suoi uomini, le loro gesta coraggiose; ricordandole, infiammava l'animo dei soldati[5].

LX. *1* Petreio, passata ogni cosa in rassegna, come con la tromba dà il segnale, comanda alle coorti di avanzare a poco a poco; lo stesso fa l'esercito dei nemici. *2* Appena furono giunti là, dove i ferentari potevano attaccar battaglia, spingendo con altissime grida le insegne contro il nemico, irrompono gli uni contro gli altri. Gettano i giavellotti; si combatte con le spade[1]. *3* I veterani, memori del valore di un tempo, li incalzano aspramente, da vicino; insistono gli altri, senza timore: si combatte con ferocia. *4* Catilina intanto, con le truppe leggere, imperversa in prima linea: soccorre chi è in difficoltà, rimpiazza i feriti con forze fresche, provvede a ogni cosa. Combatte con valore, spesso colpisce il nemico, insieme esegue i doveri di un coraggioso soldato e di un buon generale. *5* Petreio, nel vederlo battersi con un accanimento inaspettato, lancia la coorte pretoria[2] contro il centro nemico: massacra nel grande scompiglio, dovunque si resista. Gli altri li assale sui fianchi. *6* Manlio e il Fiesolano cadono combattendo nelle prime file. *7* Catilina, appena vede l'esercito in rotta e si accorge di essere rimasto con pochi, al ricordo degli avi e della passata dignità, si slancia in un nembo di nemici: lì, lottando, viene trafitto.

LXI. [1]Sed confecto proelio, tum vero cerneres quanta audacia quantaque animi vis fuisset in exercitu Catilinae. [2]Nam fere quem quisque vivos pugnando locum ceperat, eum amissa anima corpore tegebat. [3]Pauci autem, quos medios cohors praetoria disiecerat, paulo divorsius, sed omnes tamen advorsis volneribus conciderant. [4]Catilina vero longe a suis inter hostium cadavera repertus est, paululum etiam spirans ferociamque animi, quam habuerat vivos, in voltu retinens. [5]Postremo ex omni copia neque in proelio neque in fuga quisquam civis ingenuus captus est: [6]ita cuncti suae hostiumque vitae iuxta pepercerant. [7]Neque tamen exercitus populi Romani laetam aut incruentam victoriam adeptus erat; nam strenuissumus quisque aut occiderat in proelio aut graviter volneratus discesserat. [8]Multi autem, qui e castris visendi aut spoliandi gratia processerant, volventes hostilia cadavera, amicum alii, pars hospitem aut cognatum reperiebant; fuere item qui inimicos suos cognoscerent. [9]Ita varie per omnem exercitum laetitia, maeror, luctus atque gaudia agitabantur.

LXI. *1* Finita la battaglia, allora sì avresti potuto vedere quanto valore, quanta forza d'animo dimorasse nell'esercito di Catilina. *2* Poiché quasi tutti, il luogo che avevano occupato lottando da vivi, lo coprivano ora da morti con il loro corpo. *3* Soltanto alcuni del centro, che la coorte pretoria aveva travolto, giacevano un po' più lontano; ma tutti con ferite sul petto. *4* Catilina fu trovato lontano dai suoi, tra i cadaveri dei nemici: respirava appena; recava impressa nel volto la fierezza d'animo che aveva avuto da vivo. *5* Di tanti, infine, non fu catturato nessun uomo libero, né in battaglia né in fuga: *6* tutti avevano avuto poco riguardo della propria vita come di quella dei nemici. *7* Né tuttavia l'esercito del popolo romano aveva riportato una vittoria lieta o incruenta; poiché i più valorosi o erano caduti in battaglia, o ne erano tornati gravemente feriti. *8* Molti, poi, che avevano lasciato il campo per vedere o per predare, rivoltando i cadaveri dei nemici, riconoscevano un amico, un ospite, un parente; e talvolta anche un nemico personale. *9* Così, per tutto l'esercito in vario modo si mescolavano esultanza, dolore, pianto e gioia.

NOTE

I

[1] L'opera di Sallustio propone subito fin dall'esordio un concetto rigoroso e teso di *humanitas*. Ogni uomo oscilla fra due stati: la *feritas*, verso la quale lo spingono gli istinti; l'*humanitas*, che è una paziente e difficile conquista dello spirito (come subito sottolineano termini quali *student, ope, niti*). Una battaglia si combatte da sempre nel nostro animo: non si nasce uomini, si diventa. Concetto-guida dell'etica aristocratica classica, che si comunicherà a ogni successivo umanesimo moderno.

[2] Platone, *Repubblica* 586 a-b (dove si discute sul tema del piacere e della superiorità dei piaceri che derivano dalla conoscenza): «Allora le persone che non conoscono intelligenza e virtù, che badano sempre alla buona tavola e a simili cose, vengono trasportate, sembra, in giù, e poi nuovamente indietro sino alla posizione mediana e così errano per tutta la vita e mai, superando questo limite, hanno innalzato lo sguardo a ciò che è veramente alto né mai vi sono state trasportate, né mai si sono realmente riempite di ciò che è, né hanno gustato un solido e puro piacere. Ma, come bestie, tengono sempre lo sguardo in giù, curve verso il suolo e le loro mense, e pascolano rimpinzandosi e montando; per la smodata cupidigia di questi piaceri si prendono a calci e a cornate, e s'ammazzano a vicenda con corna e zoccoli ferrei». Suggestioni e parentele anche con il finale del *Timeo* (dove si parla dell'origine degli animali come uomini degradati da vizi ed errori). Ma il concetto, all'epoca di Sallustio, doveva essere molto diffuso. Già Cicerone nel *De legibus* (I, 9, 26) aveva scritto che la natura «*cum ceteras animantes abiecisset ad pastum, solum hominem erexit ad caelique quasi cognationis domiciliique pristini conspectum excitavit*» («avendo tenuto gli altri animali rivolti in basso al vitto, soltanto all'uomo diede statura eretta e lo rivolse alla contemplazione del cielo, come della sua parentela e sede originaria»). Lo riprenderanno Ovidio (*Metamorfosi* V, 84-86) e Giovenale (*Satire* XV, 143-147).

[3] Tutto il primo capitolo è impostato su una serie di antitesi eroiche di natura etico-filosofica: *homines/animalibus; animo/corpore; imperio/servitio; dis/beluis; vita brevis/memoriam longam; divitiarum et formae gloria fluxa/virtus aeterna*. L'antitesi centrale è quella fra corpo e anima, e si richiama alla concezione dualistica di Platone espressa in numerosi dialoghi. L'immagine

dell'anima come guida e signore, del corpo come servo ed esecutore, è già presente nel *Fedone* (80 a). Qui Socrate, rivolgendosi a Cebete, afferma: «Guarda ora anche da questo punto: quando sono insieme anima e corpo, all'uno la natura ordina di servire e di obbedire, all'altra di comandare e dominare. Ciò posto, quale dei due credi sia simile al divino e quale al mortale? Non pare a te che il divino per sua propria natura sia atto a dirigere e a comandare, e il mortale a obbedire e a servire?».

[4] Sallustio introduce qui il tema della gloria che rende immortali; ma specifica subito che la vera gloria risiede nel possesso della *virtus*. Anche in questo caso la fonte prima è Platone. Nel *Simposio* (208 b), Socrate a un certo punto rievoca un discorso sull'amore tenuto a lui dalla sapientissima Diotima, che dice: «Credi tu che Alcesti sarebbe morta per Admeto o Achille avrebbe voluto seguire Patroclo nella morte o il nostro Codro sarebbe andato a morire per salvare il regno dei figli, se essi non avessero pensato che così sarebbe rimasta imperitura la fama della loro virtù, che noi ora serbiamo? Certo no – continuava – ma, credo, proprio in vista della virtù immortale e di questa fama gloriosa, ognuno fa di tutto, e tanto più quanto è migliore: perché ama l'immortalità». Va osservato l'uso laico e romano dei riferimenti platonici: in Sallustio non compare mai alcun discorso metafisico e religioso (senza che esso sia per questo negato); l'immortalità compete solo alla memoria sociale del popolo romano, che valuterà ogni atto sulla base di parametri rigorosamente etico-politici.

[5] Sentenza diffusa nel mondo antico. Tucidide, ad esempio (*Guerra del Peloponneso* II, 40, 2): «Siamo noi stessi a prendere direttamente le decisioni o almeno a ragionare come si conviene sulle circostanze politiche: non riteniamo nocivo il discutere all'agire, anzi il non condurre alla luce, attraverso il dibattito, tutti i particolari possibili di un'azione, prima di intraprenderla».

II

[1] Per un romano del I secolo a.C. il nome di «re» si associava naturalmente a concetti di dispotismo e di tirannia. Livio (*Ab urbe condita* XXVII, 19, 4): «*regium nomen, alibi magnum, Romae intolerabile*» («l'appellativo di re, altrove illustre, a Roma era intollerabile»). Si veda, all'inizio del capitolo VII, la valutazione sull'animo dei sovrani svolta da Sallustio.

[2] Qui l'autore pensa soprattutto a Numa Pompilio e a Tullo Ostilio, che la leggenda presentava il primo come re pacifico e religioso, il secondo come re animoso e guerriero.

[3] Sintetica allusione ai miti di origine e alla concezione ciclica della storia comuni a tutto il mondo classico: secondo tale concezione, da un'iniziale età dell'oro, dove la vita si svolgeva secondo ritmi semplici, pacifici e armoniosi, l'umanità si corrompeva, decadendo progressivamente fino a un'età violenta e ingiusta. Questi temi godranno di un'immensa fortuna nella poesia contemporanea e appena successiva, da Virgilio a Tibullo a Ovidio.

[4] Ciro (vissuto nel VI secolo a.C.) fondò l'impero persiano sottomettendo numerosi popoli, tra cui Medi, Lidi, Fenici, Babilonesi, Egizi (per il concet-

to di *natio* vedi nota n. 1 X). La sua vita era nota grazie alla *Ciropedia* di Senofonte, che lo rappresenta come un *exemplum* di monarca ideale. Atene estese la sua egemonia sul mondo greco dopo le guerre persiane (conclusesi nel 478 a.C.); Sparta, al termine della guerra peloponnesiaca (431-404 a.C.). Si tratta di celebri esempi di espansionismo politico e militare del mondo antico.

⁵ La sentenza di Sallustio riecheggia dispute di carattere filosofico-militare molto sentite in Roma. Si confronti con Cesare (*De bello gallico* VI, 30)· «*Multum cum in omnibus rebus, tum in re militari potest Fortuna*» («Molto può la fortuna in ogni cosa e più ancora nelle imprese militari»). Oppure con queste riflessioni di Livio (*Ab urbe condita* IX, 7), probabilmente mutuate proprio da Sallustio e da Cesare: «*Plurimum in bello pollere videntur militum copia et virtus, ingenia imperatorum, fortuna per omnia humana maxime in res bellicas potens*» («I fattori che maggior importanza sembrano avere in guerra sono il numero e il valore dei soldati, l'intelligenza dei comandanti, e la fortuna, che ha grande potere in tutte le cose umane, e soprattutto nelle guerre»). Per il concetto di *fortuna* vedi VIII, 1 e XLI, 3.

⁶ In Sallustio, come sempre nel mondo romano, ogni discorso sullo spirito e sulla *virtus* si traduce in azione, forza attiva, intervento sulla materia: non riguarda solo l'attività intellettuale pura, ma anche le arti pratiche (qui esemplificate nel lavoro dei campi, nei commerci per mare, nelle opere edilizie). Alleanza di energia fisica e di vigore morale che si rende intanto visibile, sulla pagina, come energia di stile, tensione della parola e della frase, movimento brusco e lucido del pensiero.

⁷ Il concetto è stoico (ma di derivazione platonica). Come la *mens* divina regge e governa il mondo, così l'anima deve reggere il corpo mediante l'uso della ragione. Vivere secondo natura significa dunque vivere secondo ragione, sottomettendo gli istinti al governo della virtù. Si pensi al *Somnium Scipionis* di Cicerone (VIII, 18): «*Deum te igitur scito esse, siquidem est deus, qui viget, qui sentit, qui meminit, qui providet, qui tam regit et moderatur et movet id corpus, cui praepositus est, quam hunc mundum ille princeps deus; et ut mundum ex quadam parte mortalem ipse deus aeternus, sic fragile corpus animus sempiternus movet*» («Sappi che tu sei un dio, se è dio invero colui che ha forza, pensiero, memoria, provvidenza, chi governa e regge e muove questo corpo cui è preposto, alla stessa maniera in cui quel sommo dio [regge] questo mondo; e come lo stesso dio eterno muove un mondo per una sua parte mortale, così l'anima sempiterna muove il fragile corpo»). Resta naturalmente inteso che il discorso di Sallustio è sempre ed esclusivamente etico-politico, mai escatologico o religioso.

⁸ La conclusione del capitolo II accenna a un *tópos* molto diffuso nel mondo greco-romano, e già presente in Omero (*Odissea* VIII), in Saffo (fr. 27 a D.), in Pindaro (fr. 221 Snell). Anche Orazio lo farà proprio nell'ode di esordio (I, 1) dei *Carmina*, dove si afferma che agli uomini piacciono molti generi di vita, e c'è chi aspira alla gloria sportiva, chi alla carriera politica, chi alla vita dei campi, ai commerci per mare, alla vita militare, ecc.: Orazio ha scelto la poesia, la solitudine dei boschi, la vita appartata. La frase di Sallustio non è casuale, ed è posta sulla soglia di un capitolo, il terzo, in cui dovrà sostenere la dignità e il ruolo dello storiografo accanto a quelli del

politico e del militare. Va anche ricordato che il motivo delle diverse attività umane era stato particolarmente sviluppato dai filosofi ellenistici nei *protreptici* (esortazioni alla filosofia), per affermare che la vita del filosofo era superiore a quella di chi ricercava la gloria, gli onori politici, i piaceri del corpo, la ricchezza. Sallustio vuole rivendicare allo storico una grandezza pari a quella ottenuta nella vita politica o sul campo di battaglia, attività che il mondo latino continuava a ritenere superiori e nelle quali Sallustio aveva fallito pochi anni prima (vedi nota n. 1 III).

III

[1] Queste precisazioni sallustiane, dirette a valorizzare l'opera dello storico accanto a quella dell'uomo di Stato e del soldato, vanno collocate nel quadro della cultura latina e delle polemiche sollevate, fin dall'epoca di Catone il Vecchio e degli Scipioni (III-II secolo a.C.), sul rapporto tra *otium* (propriamente il tempo libero dagli impegni, dedicato all'attività intellettuale) e *negotium* (gli impegni di carattere pubblico, le attività pratiche e civili). La concezione tradizionale della *res publica* privilegiava il secondo momento sul primo (e tutti i primi letterati in lingua latina sono infatti *servi* di origine greca o plebei di origine italica, mai romani); solo all'epoca di Sallustio si afferma definitivamente il valore autonomo della cultura. Nel proemio al *Bellum Iugurthinum* (IV, 4), Sallustio potrà orgogliosamente affermare che «*maiusque commodum ex otio meo quam ex aliorum negotiis rei publicae venturum*» («verrà maggior profitto alla repubblica dall'ozio mio che dall'affaccendarsi di tanti altri»). La riflessione va tuttavia letta alla luce delle particolari condizioni storiche (le guerre civili, la corruzione politica) in cui versa la *res publica* romana, come Sallustio precisa nel medesimo capitolo del *Bellum Iugurthinum*.
[2] Già Isocrate (*Panegirico* XIII): «È cosa difficile trovare parole che corrispondano alla grandezza dei fatti». Si tratta di un principio basilare della disciplina retorica: lo stile deve variare in corrispondenza dell'argomento trattato. Lo storico Livio, ad esempio, riferisce (*Ab urbe condita* VI, 20, 8) come Marco Manlio, durante un discorso in cui rammentava le proprie grandi imprese del passato, avesse saputo eguagliare i fatti con le parole («*facta dictis aequando*»). Anche Plinio il Giovane (*Epistole* VIII, 4, 3) ricorderà, un secolo più tardi, come «eguagliare i fatti con la narrazione sia impresa ardua, grandissima».
[3] I concetti sono derivati direttamente da Tucidide, uno dei grandi modelli dell'opera sallustiana. Nella *Guerra del Peloponneso* (II, 35, 2) Tucidide fa dire a Pericle, durante un discorso in onore dei morti caduti in battaglia: «Poiché gli accenti di un discorso pronunciato in questa circostanza, in cui tanto fluida e varia è nel pubblico attento l'impressione della verità, devono vibrare in misurato equilibrio. Delicata e ardua fatica, se si pensa che l'ascoltatore informato e ben disposto tende a considerare l'esposizione inferiore alle sue aspettative e conoscenze, mentre chi non è al corrente propende ad avvertirvi un tono esagerato. Lo morde l'invidia, se ode di gesta che superano la sua natura. Le parole proclamate in plauso d'altri paiono

tollerabili fino al punto in cui ciascuno si sente in grado di operare lui stesso le azioni lodate: oltre, s'avventa l'invidia e non si presta più fede».

⁴ Nel sistema linguistico romano, l'uomo è approssimativamente designato come *infans* fino ai 7 anni, *puer* fino ai 17, *adulescens* fino ai 30, *iuvenis* dai 30 ai 45. *Adulescentulus* indica dunque un'età che può andare all'incirca dai 17 ai 20 anni.

⁵ Ha inizio una pagina di carattere personale e autobiografico, che si protrae anche nel capitolo successivo. Il modello è Platone, che in una celebre lettera (VII, 324 b-325e) aveva spiegato ai familiari e agli amici di Dione come in gioventù fosse stato tentato dall'attività politica. Gli anni sono quelli compresi tra la sconfitta di Atene a opera di Sparta (404) e la morte di Socrate (399): «Quando ero giovane, io ebbi un'esperienza simile a quella di molti altri: pensavo di dedicarmi alla vita politica, non appena fossi divenuto padrone di me stesso. Or mi avvenne che questo capitasse allora alla città: il governo, attaccato da molti, passò in altre mani, e cinquantun cittadini divennero i reggitori dello Stato. Undici furono posti a capo del centro urbano, dieci a capo del Pireo, tutti con l'incarico di sovrintendere al mercato e di occuparsi dell'amministrazione, e, sopra costoro, trenta magistrati con pieni poteri. Tra costoro erano alcuni miei familiari e conoscenti, che subito mi invitarono a prender parte alla vita pubblica, come ad attività degna di me. Io credevo veramente (e non c'è niente di strano, giovane come ero) che avrebbero purificata la città dall'ingiustizia traendola a un viver giusto, e perciò stavo a osservare attentamente che cosa avrebbero fatto. M'accorsi così che in poco tempo fecero apparire oro il governo precedente: tra l'altro, un giorno mandarono, insieme con alcuni altri, Socrate, un mio amico più vecchio di me, un uomo che io non esito a dire il più giusto del suo tempo, ad arrestare un cittadino per farlo morire, cercando in questo modo di farlo loro complice, volesse o no; ma egli non obbedì, preferendo correre qualunque rischio che farsi complice di empi misfatti. Io allora, vedendo tutto questo, e ancor altri simili gravi misfatti, fui preso da sdegno e mi ritrassi dai mali del tempo. Poco dopo cadde il governo dei Trenta e fu abbattuto quel regime. E di nuovo mi prese, sia pure meno intenso, il desiderio di dedicarmi alla vita politica. Anche allora, in quello sconvolgimento, accaddero molte cose da affliggersene, com'è naturale, ma non c'è da meravigliarsi che in una rivoluzione le vendette fossero maggiori. Tuttavia bisogna riconoscere che gli uomini allora ritornati furono pieni di moderazione. Se non che accadde poi che alcuni potenti intentarono un processo a quel mio amico, a Socrate, accusandolo di un delitto nefandissimo, il più alieno dall'animo suo: lo accusarono di empietà, e fu condannato, e lo uccisero, lui che non aveva voluto partecipare all'arresto di un amico degli esuli d'allora, quando essi pativano fuori della patria. Vedendo questo, e osservando gli uomini che allora si dedicavano alla vita politica, e le leggi e i costumi, quanto più li esaminavo e avanzavo nell'età, tanto più mi sembrava che fosse difficile partecipare all'amministrazione dello Stato, restando onesto. Non era possibile far nulla senza amici e compagni fidati, e d'altra parte era difficile trovarne tra i cittadini di quel tempo, perché i costumi e gli usi dei nostri padri erano scomparsi dalla città, e impossibile era anche trovarne di nuovi con facilità. Le leggi e i costumi si corrompevano e

si dissolvevano straordinariamente, sicché io, che una volta desideravo moltissimo di partecipare alla vita pubblica, osservando queste cose e vedendo che tutto era completamente sconvolto, finii per sbigottirmene». Come Platone, anche Sallustio vuole dunque giustificare il proprio operato politico passato, addebitando alla *cupido honoris* dei tempi e alla passione giovanile i propri errori, mostrando come ormai, per un uomo onesto, fosse impossibile dedicarsi all'attività politica a causa della corruzione dilagante. Su di lui pesavano tuttavia, se dobbiamo credere agli elementi tradizionali della sua biografia, pesanti imputazioni: l'espulsione dal Senato per immoralità (50 a.C.); le accuse di concussione relative al governatorato di Numidia (47 a.C.).

IV

[1] Per comprendere l'atteggiamento di Sallustio vale la pena di leggere un brano di Cicerone tratto dal *De officiis* (III, 1, 1-3) e scritto nell'anno 44, quando la guerra civile infuria, la carriera politica del grande oratore è ormai compromessa, la sua vita in pericolo (verrà infatti assassinato l'anno dopo). Cicerone esordisce rammentando un motto di Scipione Africano, il quale soleva dire di non essere mai meno *otiosus* di quando lo era (intendendo per *otium*, come è già stato osservato, il tempo libero dagli impegni pubblici, in cui era possibile dedicarsi agli studi e alle lettere). Continua Cicerone: «Costretto dalla forza di armi sacrileghe a stare lontano dalla vita pubblica e dagli affari del Foro, ho dovuto starmene in ozio e per questo motivo, lontano da Roma, passo da una villa all'altra, per lo più solo. Ma questo mio ozio, questa mia solitudine non possono paragonarsi con quella di Scipione. Egli infatti, per riposarsi un po' dalle più alte cariche pubbliche, si concedeva di quando in quando una vacanza e, sottraendosi alla vita rumorosa e agitata della città, cercava rifugio nella solitudine, come in un porto. Il mio ozio invece è dovuto, non al bisogno di riposo, ma alla mancanza di occupazioni. Spenta infatti l'autorità del Senato, distrutti i tribunali, che altro degno di me rimane da fare nella Curia e nel Foro? Io, che vissi un tempo in mezzo alla gran vita di Roma, in vista di tutti i cittadini, fuggo ora l'aspetto di quegli scellerati che hanno invaso ogni luogo; vivo appartato, per quanto posso, e spesso sono solo. Ma poiché i filosofi insegnano che non solo bisogna fra i mali scegliere i minori, ma anche ricavarne quel po' di bene che possa esservi, così io approfitto di questo riposo, non di certo conveniente a chi un tempo procurò la tranquillità alla sua patria, né lascio che resti infruttuosa questa mia solitudine, dovuta alla necessità e non già alla mia volontà». Cicerone spiega accuratamente, in questo passo, lo stato d'animo tipico di un intellettuale romano dell'epoca: le attività di ordine civile vanno considerate superiori a quelle di ordine esclusivamente intellettuale (che ne sono tuttavia il presupposto indispensabile). Anche Sallustio si dedica alla storia nel momento in cui non può più operare sul piano politico: la sua è una scelta di «necessità», non di «volontà». Ma proprio in momenti come questi, di violenza istituzionale e di disordine civile, il «tempo libero» per pensare, riflettere, ordinare gli avvenimenti

passati e presenti diviene «*bonum*», «prezioso» per sé e per la comunità umana di cui facciamo parte.

² L'affermazione di Sallustio riguardante l'agricoltura (non la caccia, occupazione ancora poco praticata e poco amata dal mondo romano in questa età) appare sorprendente, solo di poco attenuata dal fatto che qui l'autore non pensa all'agricoltura come attività complessiva (già lodata nel capitolo II) ma al semplice lavoro manuale, compito esclusivamente riservato agli schiavi. La sorpresa nasce dalla perentorietà dell'affermazione, dall'indifferenza e dalla disattenzione con cui viene pronunciata, e tanto più se pensiamo al prestigio di cui l'attività agricola ha sempre goduto presso gli scrittori latini e allo spazio immaginario che essa ha occupato in poesia (le *Georgiche* di Virgilio; Tibullo). Lo stesso Cicerone, ancora nel *De officiis* (I, 42, 151), aveva scritto pochi anni prima che «di tutte le occupazioni dalle quali si trae qualche guadagno, nessuna è più nobile, più redditizia, più piacevole, né più degna di un vero uomo, d'un uomo libero, dell'agricoltura».

³ La precisazione di Sallustio dipende dall'impostazione tradizionalmente annalistica della storiografia latina, che privilegiava il racconto anno per anno dei fatti, piuttosto che la scelta monografica per episodi, per eventi. Anche Sallustio, dopo le due monografie su Catilina e su Giugurta, si dedicherà a un lavoro di impostazione annalistica (anche se limitato a un periodo breve e circoscritto): le *Historiae*, giunteci gravemente frammentarie.

⁴ La sinteticità e brevità del racconto era un canone della cultura ellenistica: ma in Sallustio essa diviene anche concisione e rapidità dello stile, quella *brevitas* o *velocitas* di cui già parlarono gli antichi, da Quintiliano (*Institutio oratoria* X, 1, 102) al tardo Macrobio (*Saturnalia* V, 1).

⁵ Ricaviamo di qui uno dei due titoli tradizionali dell'opera (*De coniuratione Catilinae*); l'altro (*Bellum Catilinae*) è tratto dall'*explicit*, cioè dalla formula conclusiva dei codici (che come titolo hanno *Bellum Catilinarium* o *Liber Catilinarius*). Congiura e guerra sono due momenti distinti dell'impresa di Catilina, e occupano rispettivamente la prima e la seconda parte del racconto di Sallustio.

V

¹ È il primo grande ritratto delle opere sallustiane: seguiranno, sempre nel *De coniuratione Catilinae*, quello di Sempronia (XXV); nella *Giugurtina* quelli di Giugurta (VI-IX, 3), Mario (LXIII-LXIV) e Silla (XCV-XCVI). La storia, per Sallustio, sembra svolgersi come un violento e drammatico conflitto di grandi personalità, dal fascino spesso ambiguo e perverso. In questo si distacca totalmente da Catone il Vecchio, che a suo tempo aveva scritto un'opera storica, le *Origines*, sopprimendo il nome dei cittadini romani per far risaltare unicamente quello di Roma. Il ritratto è costruito secondo la tecnica del contrasto, per scorci bruschi che danno un colore tragico e cupo alla personalità di Catilina, un uomo che appare mostruosamente dotato di grandi virtù come di orrendi vizi. Un ritratto analogo è presente nell'orazione *Pro Caelio* (V, 12-VI, 14), scritta da Cicerone nel 56: anche qui Catilina appare come un *monstrum*, un uomo dalla natura doppia e mul-

tiforme, ricco di qualità come di impulsi brutali, capace di attrarre a sé non solo uomini corrotti ma anche «*multos fortis viros et bonos*»: «Aveva rapporti con molti scellerati ma pure fingeva di essere devoto a dei gran galantuomini; vivere accanto a lui era un continuo incentivo al vizio: ma vi erano pure degli stimoli all'attività e al lavoro; portava in sé il fuoco di passioni viziose: ma vivo era pure il suo interesse per la vita militare. A mio parere non è mai esistito sulla terra un portento di tal fatta, una tale mescolanza di passioni e appetiti innati così contrari, opposti e contraddittori. Chi, in un certo periodo, fu mai più accetto ai più eminenti e più legato ai più infami dei nostri concittadini? Chi fu talora cittadino più attaccato al migliore partito e nemico più terribile del nostro Stato? Chi più immondo nei piaceri e più resistente alle fatiche? Chi più avido nel rubare e più generoso nel donare? E ciò che, a dire il vero, sbalordiva in quell'uomo, era l'abilità con cui sapeva procurarsi numerose amicizie e conservarsele con la sua compiacenza, dividere con tutti ciò che possedeva, porre al servizio delle necessità di tutti i suoi amici il suo denaro, la sua influenza, la fatica fisica e perfino, in caso di bisogno, la sua scelleratezza e temerità, adattare e controllare la sua indole secondo l'occasione volgendola e piegandola in ogni senso, vivere severamente con gli austeri, allegramente con i gioviali, seriamente con i vecchi, piacevolmente con i giovani, temerariamente con gli scellerati, dissolutamente con gli sregolati. E così, grazie a questo carattere così mutevole e complesso, aveva sì raccolto intorno a sé tutti i lestofanti e gli avventurieri di ogni parte del mondo, ma teneva pure legate a sé un gran numero di persone oneste e coraggiose grazie a un'apparenza di finta virtù».

[2] *Nobilis* significava in origine «conosciuto, noto, illustre»; il termine *nobilitas* designò quindi l'insieme di quelle famiglie che gestivano il potere politico: non solo patrizie, ma anche plebee, dopo che nel III secolo a.C. erano stati permessi matrimoni misti; dal I secolo a.C. il termine spettò solo alle famiglie che avevano avuto almeno un console tra i propri antenati. Catilina apparteneva alla *gens Sergia*, un'antica famiglia che faceva risalire il proprio antenato a un compagno di Enea, il troiano Sergesto, come è testimoniato anche in Virgilio (*Eneide* V, 121): «*Sergestusque, domus tenet a quo Sergia nomen*» («E Sergesto, da cui la casa dei Sergi ha il suo nome»). La famiglia, all'epoca della sua nascita, si era impoverita e aveva perduto parte del prestigio di un tempo. Vedi nota n. 6 XVII.

[3] È di grande interesse il fatto che Sallustio utilizzi qui un passo della *XIII Filippica* (1, 1) pronunciata in Senato da Cicerone il 20 marzo del 43: «*quem discordiae, quem caedes civium, quem bellum civile delectat*» («colui che gode delle discordie, del massacro dei cittadini, della guerra civile»). L'analogia dei passi fa supporre che Sallustio volesse deliberatamente accostare Marco Antonio a Catilina, tanto più che Sallustio potrebbe avere scritto queste pagine nei medesimi giorni in cui Cicerone pronunciava le sue orazioni.

[4] Anche Cicerone era rimasto impressionato dalla capacità di resistenza fisica di Catilina. Lo ripete più volte, ad esempio nella *I Catilinaria* (10, 26): «*illam praeclaram patientiam famis, frigoris, inopiae rerum omnium*» («quella tua famosa resistenza alla fame, al freddo, a tutte le privazioni»). Nella *II*

Catilinaria (5, 9): «*adsuefactus frigore et fame et siti et vigiliis perferendis*» («la sua abituale resistenza al freddo, alla fame, alla sete e alla veglia»). Ancora nella III *Catilinaria* (7, 16): «*nihil erat quod non ipse obiret, occurreret, vigilaret, laboraret; frigus, sitim, famem ferre poterat*» («non c'era nulla che si facesse senza il suo diretto intervento, la sua pronta collaborazione, il suo innato zelo, la sua personale fatica: era straordinariamente resistente al freddo, alla sete, alla fame»). Del resto, secondo Woelfflin (in «Archiv», I, 1883, pp. 277 e sgg.), il *cognomen* Catilina sarebbe derivato dall'espressione *catulina* [*caro*], «carne di cane», con riferimento all'eccezionale vigoria fisica dell'uomo.

⁵ Qui si sente l'eco di una vasta disputa, ancora vivissima all'epoca di Cicerone, sulla funzione dell'oratoria e sulla formazione del perfetto oratore. Secondo Catone il perfetto oratore doveva essere un «*vir bonus, peritus dicendi*», non solo dunque un tecnico della parola, ma anche un uomo onesto che ricerca in ogni suo discorso il bene pubblico. Questa era anche la convinzione di Cicerone, di cui Sallustio echeggia qui, forse intenzionalmente, il passo d'esordio del *De inventione* (I, 1): «La ragione mi induce a ritenere con assoluta certezza che poco giova agli Stati la sapienza disgiunta dall'eloquenza (*ut existimem sapientiam sine eloquentia parum prodesse civitatibus*), ma che l'eloquenza senza la sapienza per lo più nuoce troppo e non produce mai alcun bene». Agli antipodi l'eloquenza di Catilina: tecnicamente abile, ma sprovvista di valori morali.

⁶ Lo stesso concetto è espresso in un discorso di Catone riportato da Livio (*Ab urbe condita* XXXIV, 4, 1-2): «*Saepe me querentem [...] audistis diversis duobus vitiis, avaritia et luxuria, civitatem laborare, quae pestes omnia magna imperia everterunt*» («Spesso mi avete udito lamentare che la città è afflitta da due opposti vizi, l'avarizia e il lusso, due flagelli che sempre rovinano tutti i più grandi imperi»). Si trattava di un discorso tenuto nel 195 a.C. a difesa della *lex Oppia* contro il lusso femminile.

VI

¹ Inizia la cosiddetta «archeologia», ossia una breve digressione (VI-XIII) sull'antica storia romana. Il mito delle origini troiane di Roma, già presente nel poeta greco Stesicoro (VI secolo a.C.) e affermatosi definitivamente tra il IV e il III secolo a.C., va inquadrato nel grande tema dei rapporti fra mondo greco e mondo italico: essere stati fondati da una città greca o da una città che partecipava dell'immaginario poetico e artistico del mondo greco (com'è il caso di Troia) corrispondeva, per tutte le città italiche, a un processo di autonobilitazione e di innalzamento culturale. Come ha scritto recentemente Musti, «la guerra di Troia è il grande mito produttivo delle tradizioni sulle presenze di eroi greci nell'Italia meridionale; e talora si affiancano, senza essere realmente alternative l'una rispetto all'altra, una tradizione di fondazione achea a una di fondazione troiana: in questione sono i Greci reduci da Troia o Troiani fuggiaschi dalla medesima città» (*I Greci e l'Italia*, in *Storia di Roma*, I, Torino 1988, p. 43). Va anche osservato che Roma, nel IV secolo a.C., veniva giudicata in Grecia, secondo la celebre

definizione di Eraclide Pontico riportata da Plutarco (*Camillo* XXII), come una «città ellenica». Naturalmente le leggende su Enea e sui Troiani approdati alle rive del Tevere circolavano in diverse versioni: i primi annalisti, Nevio, Ennio e Catone (qui seguito, seppure in modo attenuato, da Sallustio), fanno fondare la città direttamente da Enea e dai suoi discendenti (Ilia, madre di Romolo e Remo, sarebbe stata figlia di Enea). In seguito, per colmare il vasto divario tra la guerra troiana (XII secolo a.C.) e la fondazione di Roma (VIII secolo a.C.), fu interposta la serie dei re albani: versione, quest'ultima, che sarà utilizzata sia da Livio nell'esordio delle sue *Storie*, sia da Virgilio nell'*Eneide*. Ancora Musti: «Lo studio dei popoli della prima Italia è dunque, in primo luogo, un viaggio all'interno della coscienza greca» (op. cit., p. 39).

[2] Si tratta di un anacronismo: la prima cinta di mura romane risale, secondo la tradizione, all'epoca del re Servio Tullio.

[3] Da Livio, soprattutto, siamo informati sulle numerose guerre combattute da Roma contro città e popoli confinanti (tra cui Sabini, Albani, Equi, Volsci); i «*reges*» sono i lucumoni etruschi.

[4] I senatori (da *senex*, «vecchio»).

[5] Ancora un conciso accenno alla cacciata di Tarquinio il Superbo (510 a.C.) e alla costituzione di un ordinamento repubblicano. I due «*imperatores*» ricordati da Sallustio sono i consoli (che in realtà, inizialmente, vennero chiamati «pretori», e solo dopo il 450 a.C. assunsero il nome definitivo).

VII

[1] L'osservazione deriva direttamente da un passo delle *Supplici* di Euripide (442 e sgg.), tragedia di carattere politico scritta mentre le città greche combattevano guerre intestine e fratricide, dunque sotto l'impulso di sentimenti molto affini a quelli di Sallustio. Teseo, protagonista dell'opera, accompagna l'elogio della democrazia ateniese con la deprecazione degli Stati tirannici: «Quando il popolo è sovrano, / si compiace vedendo crescer giovani / pieni di vigoria, contrariamente / al tiranno, che li odia e che considera / nemici a lui tutti i migliori e uccide / chi sa usar la ragione, in ogni istante / temendo che gli sia tolto il potere». Il concetto ritornerà nell'*Agricola* di Tacito (V, 3), opera scritta per celebrare una nobile vittima di un'altra tirannia (quella di Domiziano) da un lettore appassionato di Sallustio.

[2] Chi scalava per primo le mura nemiche riceveva in premio una corona d'oro chiamata, perciò, *corona muralis*.

VIII

[1] Alla *fortuna* Sallustio aveva già fatto un timido accenno nel capitolo II, lo stesso in cui era stata esaltata la potenza dell'*ingenium* in guerra. Il termine ritornerà più volte nel corso dell'opera, spesso in relazione/opposizione a quello di *virtus*. Motivo diffusissimo nella letteratura e nella filosofia di età ellenistica, la *fortuna* di Sallustio è sempre arginata dalle forze dell'uomo,

capaci di dominare eventi e passioni. La pagina più intensa e affascinante è quella che apre il *Bellum Iugurthinum* (I). Qui il motivo della fortuna è accostato direttamente a quello dell'immortalità: gli scrittori, con le loro opere, vincono la forza distruttrice del tempo, le avversità della vita, le miserie del corpo: «A torto il genere umano si duole della propria natura perché, debole e di breve durata, è dominata dal caso più che dal valore. Se vi si riflette, al contrario, non si troverà al mondo cosa più alta e mirabile; ciò che manca alla natura umana non è il vigore, non è il tempo, è la costanza nell'operare. La vita dell'uomo scorre sotto la guida, il dominio dello spirito e quando, percorrendo il sentiero della virtù, procede verso la gloria, possiede forza, potere, fama, fortuna; ma, del resto, non c'è bisogno di fortuna, poiché non è essa che possa infondere onestà e tenacia o altre doti morali ad alcuno né toglierle a chi le ha. Ma se, schiavo di basse cupidigie, l'uomo affonda nell'ozio e nel piacere dei sensi, dopo essersi giovato per breve tempo di voluttà deleterie e aver dissipato neghittosamente in esse forza, tempo e ingegno, allora se la prende con la debolezza della natura: ciascuno, infatti, imputa le proprie colpe alle circostanze. Ma se gli uomini dedicassero al bene l'impegno che mettono nella ricerca di cose disdicevoli, inutili e spesso anche pericolose e dannose, anziché trovarsi in balìa dei casi della vita sarebbero loro a dominarli; e raggiungerebbero tale eccellenza da diventare, per la loro gloria, da mortali immortali». Sulla *fortuna rei publicae* vedi XLI, 3.

2 Il concetto doveva essere molto diffuso in Roma. «*Quidquid Graecia mendax / audet in historia*» («tutto ciò che i Greci menzogneri hanno il coraggio di narrare come storici») scriverà più di un secolo dopo, significativamente, Giovenale (*Satire* X, 174-175).

3 Sul raffronto tra mondo latino e mondo greco vanno lette le celebri pagine di esordio delle *Tusculanae disputationes* di Cicerone. Lo stesso Cicerone aveva lamentato, in *De legibus* I, 5, l'assenza in Roma di veri storici.

IX

1 Numerosi esempi di tali comportamenti vengono narrati pochi anni dopo da Livio nei suoi *Ab urbe condita*. In IV, 29 si racconta che «il figlio di Aulo Postumio fu fatto decapitare dal padre, quantunque vittorioso, perché, attirato al combattimento a un'occasione propizia, aveva abbandonato il posto contro gli ordini». Ancora più celebre l'episodio narrato in VIII, 7, quando il console Tito Manlio Torquato, durante la guerra contro i Latini del 340 a.C., fa decapitare il figlio per aver ucciso in duello il nemico in contrasto con le disposizioni impartite: «Poiché tu, senza rispettare gli ordini dei consoli né l'autorità paterna, hai combattuto contro un nemico fuori delle file, violando il nostro editto, e per quanto sta in te hai infranto la disciplina militare sulla quale fino ad oggi si è basato lo Stato romano, e mi hai condotto a questa dura alternativa, di dovermi dimenticare o della repubblica o di me stesso o dei miei, noi subiremo la pena del nostro delitto piuttosto che la repubblica debba scontare le nostre colpe con tanto suo danno. Costituiremo un esempio doloroso, ma salutare in avvenire alla gio-

ventù». All'episodio farà cenno anche Catone nel duro intervento contro Catilina riportato da Sallustio (LII, 30). Sempre in Livio (*Ab urbe condita* XXIV, 14, 7), l'aver abbandonato le insegne ritirandosi dalla propria posizione viene punito con la crocifissione.

[2] Concetto-cuore dell'ideologia romana, elaborato nell'ambito del circolo scipionico (II secolo a.C.) ad opera non solo di intellettuali latini ma anche di filosofi e storici greci come Panezio e Polibio: Roma è portatrice di giustizia mediante le sue leggi e le sue istituzioni; una vera giustizia è possibile solo all'interno di un *imperium* romano. Cicerone, negli stessi anni di Sallustio, si trova a compiere una riflessione analoga sull'unicità della potenza romana e sul tradimento di questo ideale seguito alle guerre civili: «Finché il potere del popolo romano si manteneva con i benefici (*beneficiis*), non con le offese (*iniuriis*), le guerre si intraprendevano per difendere gli alleati o per ottenere la supremazia, e l'esito di esse non era funesto, ma quale doveva essere, il Senato era porto e rifugio di re, di popoli e di nazioni; i nostri magistrati poi e comandanti si davano cura di ottenere la massima lode solo col difendere le province e gli alleati con giustizia e fedeltà: perciò la nostra si poteva con maggior ragione chiamare tutela del mondo (*patrocinium orbis terrae*) piuttosto che signoria (*imperium*). Già da tempo però avevamo abbandonato questa consuetudine e regola e, dopo la vittoria di Silla, la perdemmo interamente. Nessuna cosa più sembrò ingiusta verso gli alleati, dal momento che c'era tanta crudeltà verso i cittadini» (*De officiis* II, 8, 26-27). Il concetto è naturalmente diffuso nella maggior parte degli scrittori latini. Scipione, in un passo di Livio (*Ab urbe condita* XXVI, 49, 8) rassicura gli ostaggi spagnoli dicendo loro che il popolo romano preferisce «*beneficio quam metu obligare homines*» («vincolare gli uomini col beneficio anziché con la paura»). Il passo più celebre, in proposito, è l'ammonizione profetica che Anchise, agli inferi, rivolge ai futuri Romani (*Eneide* VI, 851-853): «*Tu regere imperio populos, Romane, memento. / Hae tibi erunt artes, pacisque imponere morem, / parcere subiectis et debellare superbos*» («Tu ricorda, o Romano, di governare le genti: / questa sarà l'arte tua, e dar costumanze di pace, / usar clemenza a chi cede, ma sgominare i superbi»).

X

[1] Allusione alle guerre combattute contro Pirro durante la guerra tarantina (281-275 a.C.), contro Filippo V e Perseo di Macedonia (a più riprese tra il 211 e il 168 a.C.), contro Antioco di Siria (192-190 a.C.). Con *natio* i latini indicavano una semplice comunanza etnica fondata sull'identità di razza, lingua, costumi (come nel caso di Galli, Germani o Iberi); con *populus* s'intendeva invece una popolazione politicamente organizzata (come quella greca o cartaginese).

[2] Cartagine fu rasa al suolo al termine della terza guerra punica (146 a.C.) per mano di Scipione Emiliano: secondo la tesi sallustiana, con questo avvenimento (che liberava definitivamente Roma da ogni concorrenza espansionistica) avrebbe avuto inizio la crisi sociale e istituzionale della *res publica*.

³ Il concetto di *metus hostilis* è qui solo adombrato, e troverà il suo sviluppo nel *Bellum Iugurthinum* (XLI, 2): «*ante Carthaginem deletam* [...] *metus hostilis in bonis artibus civitatem retinebat*» («prima della distruzione di Cartagine [...] la paura dei nemici teneva il popolo sul retto cammino»). Si trattava di una problematica molto sentita dal mondo romano, almeno fin dal tempo degli Scipioni: l'Africano, poco dopo la seconda guerra punica, aveva sostenuto la necessità di non imporre una pace troppo gravosa a Cartagine, poiché solo la presenza di un forte nemico impedisce la discordia interna, rafforza l'unità sociale, impedisce la lotta di classe. Il concetto, ribadito da Scipione Nasica alla vigilia della terza guerra punica, fu poi sviluppato dal filosofo greco Posidonio.

XI

¹ La figura del *sapiens* derivava dalla filosofia greca e in particolare dalle biografie di saggi diffuse nel mondo greco ed ellenistico fin dal VI e V secolo a.C.: moderazione, sdegno delle ricchezze, disinteresse nelle attività di carattere pubblico costituivano il nucleo centrale della *virtus*.

² Nato nel 138 a.C. da una famiglia nobile ma decaduta (come poi Catilina), Silla fu ambizioso questore di Mario durante la guerra giugurtina, pretore nel 93, protagonista nella guerra sociale (90-88), console nell'88, quando ebbe l'incarico di guidare l'esercito romano contro Mitridate, re del Ponto. Lo scontro con Mario e la revoca del suo incarico in Asia portarono alla guerra civile, che si concluse con la battaglia di Porta Collina (82). Rientrato in Roma vincitore, Silla ordinò massacri e proscrizioni contro i rappresentanti della fazione mariana, tentò di restaurare il potere senatorio fortemente indebolito dall'opera di Mario, per ritirarsi infine (79) dalla vita politica; morì nel 78. Sallustio, che aveva già alluso alla sua *dominatio* nel capitolo V, ne darà un ritratto straordinariamente ambiguo e vibrante nel *Bellum Iugurthinum* (XCV-XCVI): «Di letteratura greca e latina ne sapeva quanto un erudito; era un uomo ambiziosissimo, avido di piacere ma ancor più di gloria; dedicava il tempo libero alla lussuria, ma pure la voluttà non gli fece trascurare mai i suoi impegni. [...] Eloquente, astuto, amabile, d'una capacità di simulazione incredibile addirittura, era prodigo di molte cose, ma soprattutto di denaro» (evidenti le affinità con il ritratto di Catilina). Duro il giudizio sul suo operato negli anni della guerra civile: «*Nam postea quae fecerit, incertum habeo pudeat an pigeat magis disserere*» («Quanto alle azioni che compì poi, non so se a parlarne si provi più vergogna o disgusto»).

³ Allusione alla prima guerra mitridatica (88-83). Sui rapporti tra Silla e i soldati, ancora illuminante Sallustio (che si riferisce ai fatti del 107): «Affabile verso i soldati, concedeva spontaneamente ciò che gli altri gli chiedevano; a malincuore accettava favori e si affrettava a renderli più che se fossero stati debiti né chiedeva mai niente a nessuno, anzi, cercava di obbligare più persone che poteva; con gli umili, sapeva essere serio e faceto; partecipava attivamente ai lavori, alle marce, alle veglie e mai – scorrettezza che spesso commette chi vuol salire – sparlava del console o di qualsiasi persona

onorata, limitandosi a far sì che nei propositi o nelle azioni non lo superasse nessuno, anzi superando lui quasi tutti» (*Bellum Iugurthinum* XCVI, 2-3). Anche Plutarco attribuisce a Silla la responsabilità di aver corrotto per primo i soldati procurando ed elargendo loro «tutto ciò che volevano», in particolare ingenti somme di denaro che quelli poi «spendevano per procurarsi piaceri» (*Silla* XII). Ma le prime accuse di lassismo militare erano già state lanciate da Catone il Censore a Scipione Africano al tempo della seconda guerra punica. Ancora più noti i racconti di Polibio e di Livio sugli ozi di Capua, che portarono Annibale alla rovina militare. Il fatto va inquadrato nelle trasformazioni dell'esercito romano, divenuto professionale e proletario, al servizio di grandi personalità e non più della *res publica*. Si veda J.-M. Carrié: «La città non aveva altro esercito se non quello formato dai suoi cittadini, mobilitati a rotazione e in proporzione alle necessità, soltanto per la durata della guerra. In seguito, l'ampliamento della città conquistatrice, il protrarsi delle guerre e la necessità di mantenere la presenza militare nelle province conquistate misero in crisi questo quadro tradizionale: diventando di fatto permanente, l'esercito dovette aprirsi ai più poveri, ai proletari, provvedere alla paga e accettare la crescente dissociazione tra il mestiere delle armi e il "mestiere di cittadino". Il soldato romano, diventato fine e mezzo di ambizioni rivali, fu allora portato ad avvicinare il suo comportamento a quello dei mercenari al servizio dei re ellenistici» (*Il soldato*, in *L'uomo romano*, a cura di A. Giardina, Roma-Bari 1989, p. 103). Plutarco (*Lucullo* XXXIII-XXXV) racconta che Lucullo, durante la seconda guerra mitridatica (74-63), fu costretto a cedere il comando delle proprie truppe a causa dell'indisciplina militare: i soldati «tennero delle riunioni piuttosto burrascose e di notte si misero a schiamazzare nelle tende»; dei commissari giunti da Roma nel Ponto «si resero conto del fatto che Lucullo non era padrone neppure di se stesso, poiché i soldati lo dileggiavano e insultavano». E questo, come annota lo storico, perché Lucullo «disdegnava di ricorrere ai mezzi più semplici per coltivare il favore del soldato, convinto che quanto si concede ai subordinati torna a deprezzamento e danno dell'autorità», cioè il metodo esattamente opposto a quello usato pochi anni prima, con tanta fortuna, da Silla.

[4] Il tema ritornerà nelle parole pronunciate in Senato da Catone: «*vos ego appello, qui semper domos, villas, signa, tabulas vostras pluris quam rem publicam fecistis*» (LII, 5). Ma anche, demagogicamente, in quelle pronunciate da Catilina nel suo primo discorso ai congiurati: «*Cum tabulas signa toreumata emunt, nova diruunt, alia aedificant, postremo omnibus modis pecuniam trahunt, vexant, tamen summa lubidine divitias suas vincere nequeunt*» (XX, 12). I contemporanei di Sallustio dovevano subito pensare alle famose orazioni di Cicerone (in particolare la *De signis*) contro Verre, governatore in Sicilia tra il 73 e il 70 a.C., noto per aver depredato la regione, allora bellissima e artisticamente sontuosa, di numerose opere d'arte. Ma Livio (*Ab urbe condita* XXV, 40, 1-2) ricorda come già durante l'espugnazione di Siracusa (212 a.C.), in piena seconda guerra punica, Marcello «fece portare a Roma le opere d'arte della città, statue e quadri di cui Siracusa aveva grande abbondanza: si trattava, certo, di bottino tolto a nemici e conquistato per diritto di guerra; ma di lì ebbe la sua prima origine l'entusiasmo per le

opere delle arti greche e, in conseguenza di ciò, quella mancanza di ogni freno nel depredare in generale ogni cosa sacra e profana (*sacra profanaque omnia*, come in Sallustio)». Molto più duro, sul saccheggio artistico di Siracusa, lo storico greco Polibio (IX, 10). Vedi anche nota n. 2 XXV.

[5] Ancora un concetto caro alla cultura latina. Già Catone il Censore, nell'orazione in difesa dei Rodiesi (fr. 163 Malc.); poi Tacito nelle *Historiae* (I, 15, 3): «*Fortunam adhuc tantum adversam tulisti: secundae res acrioribus stimulis animos explorant, quia miseriae tolerantur, felicitate corrumpimur*» («Finora non hai sperimentato che la sorte avversa: la prospera mette alla prova gli animi con stimoli più acuti, perché le miserie si tollerano, la felicità ci corrompe»).

XII

[1] L'elogio della *paupertas* è un *tópos* caro alla storiografia e alla poesia latina. Va distinta dalla *egestas* e dalla *inopia*, che indicano, nella lingua latina, la vera «povertà» e «miseria». Seneca (*Epistulae ad Lucilium* LXXXVII, 40) definisce la *paupertas* come «*parvi possessio*» («possesso del poco»), indicando un ideale di misura e di equilibrio. Allo stesso modo va qui interpretata.

[2] Il tema, ripreso nel capitolo seguente, ritorna anche in XX, 1 per bocca dello stesso Catilina. Alla fine del II secolo a.C. Rutilio Rufo aveva pronunciato l'orazione *De modo aedificiorum* per limitare l'altezza e la fastosità delle case romane: inutilmente, perché il fenomeno dilagò nel I secolo. Lo stesso Sallustio scrisse queste pagine nello splendido complesso degli *Horti*, che da lui presero il nome.

XIII

[1] Motivo ricorrente a Roma nelle polemiche moralistiche contro le ricchezze fastose e i lussi ostentati. Ne parla spesso anche Orazio, ad esempio nella prima ode del libro III (vv. 33-34): «*Contracta pisces aequora sentiunt / iactis in altum molibus*» («I pesci sentono che si sono ristrette le onde / per le moli piantate in alto mare»). Ne riparlerà Seneca, un secolo dopo, durante una delle sue lezioni epistolari indirizzate a Lucilio: «Ora parlo a voi, il cui lusso non è meno esorbitante dell'avidità di quegli altri. Fino a quando non ci sarà un lago in cui non si specchino le vostre ville? Un fiume sulle cui rive non sorgano i vostri palazzi? Dovunque scaturiranno polle di acque termali, ivi s'innalzeranno nuovi lussuosi alberghi. Dovunque il lido s'incurverà in un'insenatura, voi getterete nuove fondamenta, e, non contenti della terraferma, costruirete anche sul suolo artificiale che avrete sottratto al mare» (*Epistulae ad Lucilium* LXXXIX, 21). Forse Sallustio pensa a Lucullo, esempio clamoroso, fra i suoi contemporanei, di vita raffinata e gaudente. Da Plutarco sappiamo che Lucullo «lungo la costa napoletana, aveva forato colline con grandi gallerie, innalzato edifici cinti da fossati in cui

111

scorreva acqua marina per l'allevamento dei pesci, e costruito abitazioni in mezzo al mare» (*Lucullo* XXXIX).

² Sempre di Lucullo (che era fra l'altro anche un fine letterato e aveva allestito una splendida biblioteca nella sua casa romana) erano noti i raffinati e costosissimi pranzi allestiti ogni giorno per sé e per gli amici (Plutarco, *Lucullo* XL-XLI). Fra le numerose testimonianze che ci sono giunte spiccano quelle di epoca imperiale. Nella *Consolatio ad Helviam matrem*, scritta in Corsica intorno al 42-43 d.C., Seneca diceva: «Non è affatto necessario scandagliare la profondità del mare, gravarsi lo stomaco con un'ecatombe di animali, far venire dalle più lontane spiagge le conchiglie dell'Oceano. Che gli dei e le dee fulminino quelli che per la loro ghiottoneria oltrepassano i confini di un così vasto impero! Desiderano che venga preso oltre il Fasi ciò che fornisce la loro ambiziosa cucina, e non hanno ritegno a chiedere volatili a quei Parti, che non abbiamo ancora completamente punito. Fanno venire da ogni parte del mondo i cibi, perché sono disgustati dalle vivande comuni; vien portato dal lontano Oceano un cibo che il loro stomaco snervato dalle delicatezze a stento può accettare. Vomitano per mangiare e mangiano per vomitare; e non si degnano neppure di digerire quei cibi che fan cercare nel mondo intero» (X, 3). Ma già Ennio negli *Hedyphagetica* e Varrone in una satira ricordata da Aulo Gellio (*Noctes atticae* VI, 16) avevano affrontato il tema delle raffinatezze cibarie provenienti a Roma da ogni parte del mondo conosciuto. Vanno infine almeno ricordati il famoso episodio della *Cena Trimalchionis* nel *Satyricon* di Petronio, la satira XI di Giovenale (sulle rovinose conseguenze del vizio della gola) e il libro XIII degli epigrammi di Marziale (dedicato ai cibi e al vino). Inutilmente, fin dall'epoca del primo Catone, e poi a opera di Silla, Pompeo, Cesare, Augusto, erano state proposte e votate delle *leges sumptuariae* per moderare le spese eccessive in materia di vestiario, cibi, gioielli.

XIV

¹ Secondo le stime di Carcopino (*La vita quotidiana a Roma*, Bari 1967, p. 26), Roma doveva contare, all'epoca di Catilina, mezzo milione circa di abitanti.

² Lo stesso in Cicerone (*Pro Murena* XXIV, 49), dove Catilina appare «*stipatum choro iuventutis, vallatum indicibus atque sicariis*» («attorniato da uno stuolo di giovani, protetto da una barriera di delatori e di sicari»). Anche sui violenti, immorali compagni di Catilina descritti nelle righe seguenti, Sallustio concorda con le celebri pagine della *II Catilinaria* (4, 7; 5, 10): «*Quis tota Italia veneficus, quis gladiator, quis latro, quis sicarius, quis parricida, quis testamentorum subiector, quis circumscriptor, quis ganeo, quis nepos, quis adulter, quae mulier infamis, quis corruptor iuventutis, quis corruptus, quis perditus inveniri potest, qui se cum Catilina non familiarissime vixisse fateatur?*» («E sarebbe forse possibile trovare in tutta quanta l'Italia un avvelenatore, un ribaldo, un brigante, un sicario, un parricida, un falsificatore di testamenti, un raggiratore, un crapulone, un dissipatore, un adultero, una donnaccia, un corruttore di minorenni, un corrotto, un disperato, che

non ammetta di essere vissuto in stretta intimità con Catilina?»). Poche battute dopo, Cicerone continua: «Il loro patrimonio l'hanno scialacquato, i loro beni ipotecati; le sostanze è già da un pezzo che le hanno perdute, da non molto hanno cominciato a perdere pure il credito; tuttavia conservano intatta la stessa ben nota avidità di piaceri dei tempi dell'abbondanza. E se, dandosi al vino e al gioco d'azzardo si contentassero solo di gozzoviglie e di prostitute, non ci sarebbe certo più motivo di ben sperare di loro, ma nonostante tutto si potrebbero ancora sopportare; ma chi mai potrebbe sopportare che i rammolliti complottino contro i più energici dei cittadini, i più stupidi contro i più assennati, gli ubriachi contro i sobrii, i morti di sonno contro i ben svegli? Eccomeli: sdraiati a banchetto, abbracciati a donnacce, snervati dal vino, rimpinzati di cibo, incoronati di fiori, spalmati di unguenti profumati, stremati dalla lascivia, vomitano minacciosi discorsi di strage dei galantuomini e di incendio dell'urbe!».

3 *Redimo* (da *re* + *emo*) significa «ricompro», «riscatto». Per corrompere i giudici nei processi e ottenere l'assoluzione di un crimine, occorreva molto denaro.

4 Ancora Cicerone, dalla *II Catilinaria* (4, 8): «D'altra parte, chi mai ha posseduto una sì straordinaria capacità di adescare i giovani come lui? Lui che alcuni se li teneva personalmente come suoi sozzi amanti, di altri si faceva il più sconcio dei mezzani, ad altri assicurava l'appagamento delle loro sporche brame, ad altri ancora la morte dei genitori». E già nella *I Catilinaria* (6, 13): «Quale giovincello, una volta adescatolo con gli allettamenti del vizio, tu non hai preceduto portando o il pugnale per un delitto o la fiaccola per un'orgia?».

5 Qui Sallustio richeggia la polemica catoniana contro i costumi ellenistici introdotti, tra il III e il II secolo a.C., in Roma. Già Terenzio, nell'*Andria* (55-57), parlava dei giovani romani dediti «all'allevamento dei cavalli o dei cani da caccia». E ancora Orazio (*Ars poetica*, 161-162): «*Imberbis iuvenis, tandem custode remoto, / gaudet equis canibusque*» («Il ragazzo, quando finalmente si è liberato del pedagogo, / si diverte con i cani e i cavalli»).

6 L'allusione è diretta a Cicerone, che aveva più volte insistito sulle immoralità sessuali dei catilinari (vedi, come esempio, i passi riportati alla nota n. 4).

XV

1 Mentre non sappiamo il nome della *virgo nobilis*, conosciamo quello della sacerdotessa di Vesta a cui allude Sallustio. Si chiamava Fabia, ed era la sorellastra di Terenzia, moglie di Cicerone. Fabia e Catilina furono accusati *incesti* nel 73: grave accusa, dal momento che le vestali erano obbligate alla castità. Durante il processo, nel quale furono coinvolte altre vestali, gli imputati furono tutti assolti grazie all'intervento di Quinto Lutazio Catulo, console nel 78, lo stesso al quale Catilina scrive la disperata lettera riportata più avanti da Sallustio (XXXV). Alla vicenda allude anche Cicerone nella *III Catilinaria* (4, 9) e in un frammento di orazione perduta (*In toga candida*, fr. 19). Per evidenti legami familiari, Cicerone negò sempre l'accusa,

addebitandola alla cattiva reputazione di Catilina; ma Sallustio, marito di Terenzia dopo che questa ebbe divorziato da Cicerone, doveva essere bene informato sulla vicenda.

² Figlia di Gneo Aurelio Oreste, pretore nel 77, rimasta vedova con un figlio, aveva sposato Catilina poco prima del 63. Sui loro rapporti si veda ancora, più avanti, la lettera a Catulo (XXXV). Il termine *privignum* («figliastro»), è naturalmente un anacronismo: il ragazzo sarebbe diventato tale se non fosse morto prima delle nozze. Su questa vicenda Sallustio utilizza, anche lessicalmente («*vacuam domum scelestis nuptiis fecisse*»), un passo di Cicerone dalla *I Catilinaria* (6, 14): «*nuper cum morte superioris uxoris novis nuptiis domum vacuefecisses, nonne etiam alio incredibili scelere hoc scelus cumulasti?*» («non molto tempo addietro, quando la morte della prima moglie ti rese sgombra la casa per nuove nozze, non completasti questo delitto con un altro incredibile delitto?»). Come si può osservare, Cicerone accusa Catilina di avere ucciso, per favorire le proprie nozze con Aurelia Orestilla, non solo il figlio già grande ma anche la stessa moglie. Sallustio, più cauto e prudente («*creditur*»), limita la diceria all'uccisione del ragazzo. L'episodio doveva essere di pubblico dominio se quasi un secolo dopo fu introdotto come *exemplum* di «voluttà» nei *Factorum et dictorum memorabilium libri IX* di Valerio Massimo, dove si legge (IX, 1, 9): «Ma nessuna maggiore scelleratezza della libidine di Catilina: preso da sfrenato amore per Aurelia Orestilla, vedendo che l'unico impedimento per poterla sposare era il proprio figlio, unico e già uscito di pubertà, lo avvelenò e subito con la fiamma del rogo di costui accese la face delle proprie nozze e offrì come regalo di nozze alla nuova moglie la propria vita orbata di figli. In seguito, cittadino perverso come era stato padre snaturato, subì il castigo che si meritavano parimenti l'uccisione del figlio e l'esecrabile attentato alla patria».

³ «*Infestus*» può avere valore sia attivo («nemico» di dei e uomini) che passivo («odioso» agli dei e agli uomini). Scelgo il primo non solo perché in Sallustio è il più consueto, ma perché più si adatta al vitalismo inquieto e devastante del personaggio Catilina.

⁴ L'«*incessus*» è un elemento essenziale della *gravitas* latina (cioè il comportamento grave, severo, ponderato e autorevole necessario per condurre gli affari dello Stato). Ne parla anche Cicerone nel *De officiis* (I, 36, 131): «Si deve poi evitare di essere così mollemente lenti nel camminare da assomigliare a chi va nelle processioni; oppure di procedere con passo troppo veloce, quando abbiamo fretta: quando questo succede, si muove in noi l'affanno, l'espressione si muta, i lineamenti si scompongono: tutte cose che rivelano mancanza di serietà».

⁵ Cicerone (*Pro Murena* XXIV, 49): «*voltus erat ipsius plenus furoris, oculi sceleris, sermo adrogantiae*» («il suo volto era quello di un folle, gli occhi di un criminale, le parole di un presuntuoso»).

XVI

¹ Il *signator* era colui che apponeva il proprio sigillo a un testamento o a un qualsiasi altro documento di carattere pubblico per garantirne l'autenticità.

² I veterani di Silla si erano arricchiti all'epoca delle grandi proscrizioni sil-

lane successive alla rovinosa sconfitta della fazione mariana (novembre 83). Migliaia di avversari, compresi in liste speciali dette appunto «di proscrizione», bollati come «nemici pubblici», furono privati della condizione di *cives romani*: privi di ogni tutela sul piano giuridico, potevano essere uccisi da chiunque; i loro beni vennero confiscati e distribuiti ai soldati più fedeli. In quella circostanza diecimila schiavi appartenenti alle famiglie proscritte vennero liberati. A questi ex combattenti che si erano arricchiti all'epoca di Silla riducendosi poi rapidamente sul lastrico, e che costituivano una specie di vivaio golpista all'epoca di Catilina, fa riferimento anche Cicerone nella *II Catilinaria* (9, 20): «Costoro provengono dalle colonie sillane; ora io so bene che esse sono nel loro insieme costituite da bravi e valorosi cittadini, ma si tratta pur sempre di coloni che, trovatisi d'un tratto e insperatamente pieni di soldi, si diedero a ostentare un tenor di vita tanto dispendioso quanto arrogante. Si mettono a costruire come se fossero dei gran ricconi, si compiacciono di splendide tenute, di numerosi schiavi e di sontuosi banchetti: è così che si sono caricati di tanti debiti che dovrebbero, per uscirne fuori, fare ritornare in vita Silla. E non basta: hanno spinto alcuni contadini, gente di bassa condizione e pezzenti, a sperare nelle depredazioni di un tempo». Sarebbe interessante verificare la ciclicità storica di questi episodi: sugli arroganti sbandati dell'esercito napoleonico, ad esempio, ha scritto pagine indimenticabili Balzac nella sua *Rabouilleuse*.

[3] Sallustio riassume sinteticamente la situazione politico-militare dell'anno 64: tutti gli eserciti regolari erano impegnati in varie province fuori d'Italia, che restava così sguarnita; Pompeo, in particolare, il generale più glorioso e illustre all'epoca, conduceva la guerra contro Mitridate, re del Ponto, e contro Tigrane, re dell'Armenia, nelle regioni orientali dell'impero, quasi ai confini («*in extremis terris*») del mondo allora conosciuto. Catilina aveva già presentato la propria candidatura al consolato nei due anni precedenti, sempre senza successo: la prima volta (66) per motivi formali (la domanda era stata presentata a tempo scaduto); la seconda (65) a causa di un processo che gli era stato intentato.

XVII

[1] Sono i due consoli in carica nell'anno 64: il primo era un cugino di Giulio Cesare, il futuro dittatore; il secondo, anch'egli di famiglia nobile, aiuterà Cicerone nella lotta contro Catilina. Colpisce l'errore cronologico di Sallustio, che colloca la prima seduta dei congiurati nella tarda primavera del 64 invece che nel 63, com'è attestato indiscutibilmente da Cicerone (*Pro Murena* L). Numerosi studiosi, a cominciare da Mommsen, attribuirono a Sallustio la volontà deliberata di alterare i fatti forse per proteggere la figura di Cesare dall'accusa di aver aderito alla congiura; ma si tratta, più verosimilmente, di una semplice svista.

[2] «*Circiter*» indica vicinanza a un determinato momento; le calende corrispondono al primo giorno di ogni mese: siamo dunque intorno ai primi giorni di giugno, un mese prima delle elezioni consolari di luglio, in piena campagna elettorale.

³ All'ordine senatorio appartenevano i cittadini di grado più elevato. Poiché vi si accedeva solo dopo aver ricoperto una delle magistrature superiori (consolato, pretura, questura), il Senato era, almeno in teoria, aperto a ogni cittadino; in realtà veniva rigorosamente controllato da poche famiglie della *nobilitas* romana. Interessanti le carriere e le personalità degli undici nominati da Sallustio: stravagante e pericolosa mescolanza di scontenti, declassati, facinorosi, violenti, spesso radiati dall'ordine per la loro scandalosa condotta morale. Lentulo Sura, appartenente alla nobilissima *gens Cornelia*, era stato pretore nel 75 e console nel 71; espulso dal Senato nel 70 *probri gratia*, cioè per indegnità. Pigro e negligente, come appare nelle parole dello stesso Catilina (LVIII, 4), resta in Roma dopo la scoperta della congiura e viene giustiziato (LV, 5-6). Autronio fu questore con Cicerone nel 75, nominato console nel 66 ma subito condannato per brogli elettorali; processato nel 62 per aver preso parte alla seconda congiura di Catilina, fu esiliato. Cicerone lo definisce «*audax, petulans, libidinosus*» («temerario, sfrontato, depravato»), noto per l'abitudine di «difendere la sua violenta sensualità facendo ricorso, oltre che al turpiloquio più inverecondo, addirittura ai pugni e ai calci» o di «scacciare dalle loro proprietà i legittimi padroni, assassinare i vicini, spogliare i santuari degli alleati» (*Pro Sulla* XXV, 71). Cassio Longino era stato pretore nel 66 assieme a Cicerone e suo avversario durante le elezioni al consolato del 63. Deluso per la sconfitta elettorale, entrò a far parte della congiura; riuscì a mettersi in salvo poco prima dell'arresto. Cetego, appartenente anch'egli alla *gens Cornelia*, era stato seguace di Mario, poi di Silla e infine di Lepido. Cicerone lo rappresenta come un uomo temerario e brutale nella *III Catilinaria* (VII, 16) e nella *Pro Sulla* (XXV, 70), Sallustio (XLIII, 4) come un uomo per natura «*ferox, vehemens, manu promptus*». Rimasto a Roma, come Lentulo, con l'incarico di uccidere il console e di incendiare la città (XXXII), verrà anch'egli arrestato e strangolato in carcere (LV). Publio e Servio Silla erano entrambi nipoti del dittatore. Vargunteio era stato processato nel 65 per brogli elettorali. Riappare (in XXVIII, 1) con l'incarico, vanificato, di assassinare Cicerone. Annio fu uno dei primi ad aderire alla congiura; come si ricava da L, 4, riuscì a sottrarsi all'arresto con la fuga. Un avo di Porcio Leca aveva promulgato quella *lex Porcia*, a cui accenna anche Cesare nel suo discorso in Senato (LI, 22). Nella casa di Leca avvenne la riunione narrata in XXVII, 3-4, durante la quale fu deciso l'assassinio di Cicerone. Lucio Bestia era nipote di Calpurnio Bestia, console durante la guerra giugurtina. All'epoca della congiura era tribuno della plebe designato per il 62. Per Curio vedi XXIII.

⁴ L'ordine equestre, intermedio fra il senatorio e il plebeo, era composto in prevalenza da cittadini che esercitavano attività economiche e commerciali (per esempio l'esazione delle imposte nelle province) vietate per decoro ai senatori. Spesso ricchissimi, e per questo molto influenti, erano detti così perché militavano nella cavalleria *equo privato*, cioè con un cavallo mantenuto a proprie spese. Di Fulvio Nobiliore, discendente dall'omonimo generale cantato nell'*Ambracia* di Ennio, non verrà detto più nulla nel corso dell'opera. Statilio e Gabinio ebbero incarico da Catilina di incendiare la città (XLIII, 2); affidati in custodia il primo a Cesare, il secondo a Crasso,

furono entrambi giustiziati nel Tulliano (LV). Cornelio, infine, ebbe il compito, assieme a Vargunteio, di uccidere Cicerone (XXVIII, 1).

⁵ Originariamente le colonie erano città fondate da cittadini romani, per ragioni strategiche, nei territori conquistati: si amministravano con le stesse leggi della madrepatria, conservando il diritto di cittadinanza. I municipi erano invece città già esistenti prima della conquista romana: si governavano con leggi proprie, eleggendo propri magistrati; in tempo di guerra dovevano fornire aiuti militari a Roma. All'epoca di Catilina, le differenze fra colonie e municipi si erano notevolmente assottigliate.

⁶ Sul significato di *nobilitas* vedi nota n. 2 V. Osserva il Syme: «Sallustio conduce una nutrita campagna di accuse contro la *nobilitas*, servendosi di vari espedienti. Comincia coll'introdurre il suo personaggio come *nobili genere natus* (V, 1). Anche il suo amico e alleato Gn. Pisone ha la caratteristica d'essere *adulescens nobilis, summa audacia, egens, factiosus* (XVIII, 4). Inoltre Catilina trova appoggio in ambiziosi giovani *nobiles* (XVII, 6). Altre persone che appartenevano a quell'ambiente o ne stavano ai margini ricevono dallo scrittore analoga presentazione. Così, Fulvia, l'amante di Q. Curio, è detta *mulier nobilis* (XXIII, 3), e Sempronia è presentata come una matrona d'alto rango (XXV, 2). Alcuni giovani, che avevano l'incarico di assassinare i loro genitori, vengono descritti come *ex nobilitate maxuma pars* (XLIII, 2). E Catone, nel suo discorso, afferma un fatto risaputo: *coniuravere nobilissumi cives* (LII, 24) [...]. Sallustio intende dimostrare che gli eredi di una grande tradizione hanno tradito la fiducia in essi riposta. Ecco perché ritornano di frequente i termini *nobiles* e *nobilitas*. Ma è più con rammarico che con derisione che egli pronuncia il suo verdetto contro Lentulo Sura, strangolato dal boia: *ita ille patricius ex gente clarissuma Corneliorum... dignum moribus factisque suis exitum vitae invenit* (LV, 6)» (R. Syme, *Sallustio*, Brescia 1968, pp. 144-145).

⁷ Console nel 70 con Pompeo, ambizioso e ricchissimo, formò con Cesare e con lo stesso Pompeo il primo, e segreto, triumvirato (60). Morì nella battaglia di Carre, in Siria, combattendo contro i Parti (53). Aveva partecipato, come si dirà nel capitolo successivo, alla cosiddetta «prima congiura» di Catilina. Grazie alle ricchezze e alle conoscenze di cui disponeva, era riuscito a fare assolvere lo stesso Catilina, nell'estate del 65, dall'accusa di peculato a danno dei provinciali d'Africa.

⁸ L'ostilità verso Pompeo risaliva al 71: Crasso era riuscito ad avere ragione della rivolta servile di Spartaco, ma il trionfo era toccato a Pompeo che, di ritorno dalle Spagne dove aveva sconfitto le truppe di Sertorio, aveva facilmente sbaragliato gli ultimi resti delle bande spartachiste. Pompeo, mentre si svolgono i fatti narrati da Sallustio, era comunque assente da Roma e impegnato nella seconda guerra mitridatica.

XVIII

¹ Si apre una nuova, breve digressione (XVIII-XIX) sulla congiura del 66-65, nota anche come «prima congiura di Catilina». Autronio e Silla, consoli designati per l'anno 65, erano stati deposti prima ancora di assumere la

117

carica con l'accusa di broglio elettorale. Con loro, secondo Sallustio, si sarebbe alleato Catilina, appena estromesso dalle elezioni al consolato per aver presentato fuori dei termini consentiti la propria candidatura. Secondo Svetonio (*Cesare* IX) e Plutarco (*Crasso* XIII), invece, al colpo di Stato aderirono Crasso e Cesare. Proprio Cesare avrebbe dovuto dare il segnale (lasciarsi cadere la toga giù dalle spalle) che Sallustio attribuisce a Catilina: sempre secondo Svetonio, Crasso, «*paenitentia vel metu*» («per pentimento o paura») non si presentò il giorno stabilito davanti alla Curia; Cesare non diede il segnale convenuto, e la congiura fallì.

[2] Un altro Silla, ma sempre parente del dittatore, rispetto a quello del capitolo precedente. Nel 62 fu processato per aver aderito sia alla prima che alla seconda congiura: difeso da Cicerone (*Pro Sulla*) e da Ortensio, fu assolto da ogni accusa. Gellio (*Noctes atticae* XII, 12, 2) spiega le ragioni che spinsero Cicerone ad accettare questa difesa: aveva ricevuto da Silla un grosso prestito per l'acquisto di una lussuosa casa sul Palatino. Ritroveremo Silla a Durazzo e a Farsalo (48 a.C.) nelle file dell'esercito cesariano.

[3] Silla e Autronio erano stati condannati in base alla *lex Calpurnia de ambitu*, presentata proprio l'anno precedente (67) da Calpurnio Pisone: la legge prevedeva, in caso di brogli elettorali, una forte multa e l'interdizione perpetua da ogni magistratura.

[4] In realtà Catilina, nel 66, era stato escluso dalle elezioni unicamente per aver presentato in ritardo la propria candidatura; solo l'anno dopo (65), diversamente da ciò che scrive qui Sallustio, per l'accusa di peculato.

[5] Pisone apparteneva alla *gens Calpurnia*, una delle più antiche della città: il suo capostipite, secondo la tradizione, era stato Calpus, figlio di Numa Pompilio. Sulla sua sorte riferisce Sallustio nel capitolo successivo.

[6] I fasci erano le insegne del potere.

[7] La *Curia Hostilia* (dal nome del suo primo costruttore, il re Tullo Ostilio) era la sede del Senato. Si trovava nel Foro.

XIX

[1] Le province dell'impero erano governate mediante proconsoli o propretori, cioè magistrati che avevano ricoperto in Roma la carica di console o di pretore. Poteva accadere, ma molto raramente, che a governare una provincia fosse mandato un «questore con l'autorità di pretore», com'è il caso di Pisone, non condannato per il suo coinvolgimento nella congiura, ma rapidamente allontanato dall'Italia con questo *escamotage*.

[2] Nonostante lo scrupolo storiografico, è palese la simpatia di Sallustio per la seconda ipotesi, e cioè che Pisone fosse stato ucciso da Pompeo. Lo conferma anche la particolare, e assolutamente eccezionale impennata poetica dell'espressione «*Gnaei Pompei veteres fidosque clientis*», un perfetto esametro incastonato nel discorso per far risaltare il brutale episodio. Ma Pompeo, in questo momento, si trovava da anni in Oriente, impegnato in una guerra dura e aspra contro Mitridate, e difficilmente avrebbe potuto essere responsabile del fatto. Inesatta, poi, l'osservazione che gli spagnoli non si fossero mai macchiati di tali delitti, come testimonia Livio (*Ab urbe condita*

XXI, 2, 6). Per i motivi dell'acredine di Crasso contro Pompeo, vedi nota n. 8 XVII.

XX

1 Il discorso non è un documento originale ma una rielaborazione, formale e concettuale, dell'autore (che lo sottolinea: «*orationem huiusce modi*»), secondo l'uso della storiografia antica. Come Tucidide, Sallustio utilizza lo spazio del discorso per chiarire le ragioni di un atto politico o per definire, complementarmente alla tecnica del ritratto, il carattere di un personaggio, la sua psicologia, le sue intenzioni. Secondo la retorica antica, un discorso doveva comprendere varie parti: 1) esordio; 2) narrazione dei fatti; 3) dimostrazione degli argomenti; 4) perorazione conclusiva. Secondo tale schema l'esordio comprende i paragrafi 2-4, cui segue la narrazione (paragrafi 5-9), una breve dimostrazione (10-13), e infine la perorazione finale (14-17). A questo primo discorso, straordinario per la capacità di travestimento e di simulazione intellettuale con cui Catilina espone il suo piano di ribellione, seguirà il grande, feroce discorso prima della rovinosa battaglia finale (LVIII). Tra i due, gli splendidi discorsi pronunciati in Senato da Cesare (LI) e da Catone (LII).
2 «*Amicitia*» è una parola di grande impegno per la cultura romana. Diversamente dal mondo greco, dove la riflessione filosofica aveva fondato il concetto di amicizia su basi etiche e personali, a Roma l'amicizia invade lo spazio politico e giuridico, ipotizzando una sorta di alleanza fra membri di pari dignità e di pari condizione sociale (mentre *cliens* definisce un rapporto di subordinazione). Dalla sfera personale, il concetto si estende perciò ai rapporti tra famiglie, tra gruppi di pressione, e perfino tra Stati, comportando una serie di obblighi e di vincoli, in primo luogo l'obbligo di prestare aiuto nelle varie circostanze della vita pubblica, per il raggiungimento di scopi determinati. Solo con Cicerone il discorso si sposterà rigorosamente sulla strada indicata dalla cultura greca. Nel *Laelius de amicitia*, scritto nel 44, Cicerone fonda l'amicizia su precisi valori morali: *pietas, honestas, benevolentia, amor*, negando che essa possa essere fondata sull'interesse e sull'utilità.
3 *Vindicare in libertatem* era espressione del linguaggio giuridico usata per gli schiavi cui si concedeva l'affrancamento: abile insinuazione di Catilina per incitare uomini che si ritenevano, a torto o a ragione, vittime di varie ingiustizie. Poco dopo dirà «*vulgus*», sapendo di parlare a un uditorio composto, per lo più, di nobili declassati e vanagloriosi. Ma è sorprendente e inquietante notare come la medesima espressione ritorni in Cesare (*De bello civili* I, 22) e in Augusto (*Res gestae* I) per sintetizzare il proprio programma politico.
4 I tetrarchi erano, in origine, coloro che che governavano la quarta parte di un territorio conquistato, come accadde per la Giudea o la Tessaglia. In seguito il termine assunse il significato di «principe minore» rispetto ai ben più importanti *reges*.
5 Sallustio mette sulla bocca di Catilina le parole d'esordio della *I Catilina-*

ria di Cicerone: «*Quo usque tandem abutere, Catilina, patientia nostra?*».
Ironicamente? Così i maggiori interpreti; ma Bolaffi osserva che *quo usque patiemini* è poi ripetuto da Sallustio nell'orazione di Filippo (*Historiae* I, 77, 17), indiscutibilmente senza alcuna ironia.

[6] *Tópos* già frequente nella storiografia greca (vedi Senofonte, *Anabasi* I, 3, 15). Anche Cesare nel *De bello gallico* (V, 33, 2), riferendosi a un suo legato: «radunava ed esortava i soldati come un comandante in capo e combatteva come un soldato». Per lo stesso tema vedi Svetonio (*Augusto* X, 4); Curzio Rufo (*Storia di Alessandro Magno* III, 11, 7); Tacito (*Historiae* IV, 66, 2). Sallustio, nel capitolo della grande battaglia finale (LX, 4), non mancherà di osservare che Catilina «*strenui militis et boni imperatoris officia simul exsequebatur*».

XXI

[1] Le *tabulae* erano i registri sui quali venivano annotati, a opera dei censori, i nomi dei debitori e l'ammontare dei debiti; *tabulae novae* erano i nuovi registri in sostituzione dei precedenti, quando i debiti venivano ridotti o annullati. Il problema dei debiti era divenuto drammatico negli ultimi decenni: nell'88 Sulpicio Rufo aveva proposto di espellere dal Senato coloro che avessero debiti superiori a duecento denari; nell'86 la *lex Valeria de aere alieno* (alla quale Sallustio alluderà fra poco in XXXIII, 3) aveva condonato tre quarti dei debiti. Cesare stesso si indebitò per venticinque milioni di sesterzi, che riuscì a restituire solo con il bottino della guerra gallica. Il tema compare più volte nell'opera, e continuamente per bocca dei congiurati: vedi in particolare XXXIII, XXXV e XL.

[2] La *proscriptio*, in origine, era la vendita all'asta dei beni di un debitore insolvente; a partire da Silla (82 a.C.), fu la lista di tutti coloro che, accusati di tradimento per motivi politici, subivano la confisca dei beni. Qui Catilina vuol dire semplicemente che i congiurati si sarebbero impossessati delle maggiori ricchezze della città.

[3] Ancora un errore cronologico di Sallustio: Pisone, all'epoca, era già morto. Secondo Svetonio (*Cesare* IX), fu proprio questa la ragione del fallimento della prima congiura.

[4] Cicerone, nella *Pro Sulla* (XX, 56-59), difenderà Sizzio dall'accusa di aver preso parte alla congiura, senza poter negare, tuttavia, che fosse coperto di debiti (come in genere tutti i congiurati). Sizzio, durante la guerra civile, parteggiò per Cesare, che lo fece governatore di Cirta (46 a.C.).

[5] Gaio Antonio Ibrida, figlio del grande oratore celebrato da Cicerone nel *Brutus* (139-142), zio del futuro triumviro. Era stato partigiano di Silla; espulso dal Senato nel 70, vi era rientrato facendosi eleggere a una magistratura. Pretore con Cicerone nel 66, si presentò candidato per il consolato del 63, prevalendo per pochi voti su Catilina. Cicerone, che lo aveva duramente attaccato nell'orazione *In toga candida* durante i comizi del 64, lo trarrà dalla propria parte con uno scambio di province (XXVI). Antonio sconfiggerà a Pistoia i catilinari e verrà per questo salutato *imperator* (LVI-LVII).

XXII

[1] Dione Cassio, nella sua *Storia romana* (XXXVII, 30, 3), precisa che durante il fosco rito organizzato da Catilina fu immolato un fanciullo e che il giuramento venne pronunciato sulle sue viscere ancora calde. Cicerone allude vagamente all'episodio nella *I Catilinaria* (6, 16), quando scrive, rivolgendosi allo stesso Catilina presente in Senato: «Quante volte questo pugnale ti è già stato strappato di mano! Quante volte per un caso fortunato ti è caduto scivolando a terra! Eppure non puoi starne lontano nemmeno un giorno. Io non so proprio, a dire il vero, a quali sacri riti esso è stato da te iniziato o a quale divinità consacrato, visto che credi nell'ineluttabilità di piantarlo nel corpo di un console!». Alcuni studiosi (vedi E. Manni, *L. Sergio Catilina*, Firenze 1939, pp. 40 e sgg.) collegano l'episodio dubbiosamente riferito da Sallustio ai riti orientali di Ma-Bellona, a cui i congiurati avevano aderito. Ma va anche ricordato come il banchetto orgiastico a base di carni umane fosse un *tópos* consueto nei racconti di congiure e di cospirazioni settarie: secondo Tacito, ad esempio, i cristiani si cibavano durante le loro riunioni notturne di carni di bambini sgozzati. Nel *Publicola* (IV) di Plutarco, i congiurati che volevano ripristinare il potere dei Tarquini dopo la cacciata del Superbo, «decisero di legarsi con un giuramento solenne e terribile, libando sangue e tenendo in mano gli intestini di un uomo, che avrebbero sgozzato».

[2] L'*exsecratio* era un giuramento accompagnato da maledizioni contro la propria persona, nel caso in cui si fosse venuti meno al patto giurato.

[3] Cicerone, come narrato da Sallustio stesso (LV), il 5 dicembre del 63, senza attendere il mattino successivo, temendo possibili insurrezioni durante la notte, fece strangolare i cinque catilinari (Lentulo, Cetego, Statilio, Gabinio e Cepario) condannati dal Senato. Già pochi giorni dopo, il 10 dicembre, ormai domata la congiura, fu accusato dal tribuno Metello Nepote di aver mandato a morte dei cittadini romani senza regolare giudizio; nel 58, con la stessa accusa, fu costretto all'esilio in virtù di una legge retroattiva presentata da un altro tribuno, Publio Clodio Pulcro.

[4] «*Parum comperta est*» può essere letta in ironico contrasto con un'espressione usata da Cicerone durante le sue relazioni anticatilinarie (ad esempio in *I Catilinaria* 4, 10): «*omnia comperi*» («di tutte queste cose io venni a conoscenza»).

XXIII

[1] Quinto Curio (già nominato in XVII, 3) discendeva da Manio Curio Dentato, una delle più prestigiose ed esemplari figure della Roma protorepubblicana, noto per onestà, intransigenza morale e costumi frugali. Come racconta Valerio Massimo (*Fatti e detti memorabili* IV, 3, 5), Manio Curio aveva offerto «agli ambasciatori dei Sanniti lo spettacolo di un personaggio seduto su una rustica panca accanto al focolare e che desinava servendosi di una scodella di legno, con pietanze quali la modestia dell'imbandigione può far presumere; egli infatti disprezzava le ricchezze dei Sanniti, mentre que-

sti si meravigliavano della sua povertà; sì che quando i Sanniti gli presentarono una gran somma di denaro, a lui destinata dalla loro repubblica, e con acconce parole lo invitarono a prendere ciò che gli sembrava, egli si mise a ridere e subito esclamò: "Incaricati di una ambasceria inutile, per non dire ridicola, riferite ai Sanniti che Manio Curio preferisce comandare a uomini ricchi che divenir ricco egli stesso e riportate il vostro dono, che per quanto sia prezioso non è stato inventato se non per la rovina degli uomini, e ricordatevi che io non posso essere vinto in battaglia né essere corrotto con il denaro". Lo stesso Curio, dopo aver cacciato il re Pirro dall'Italia, nulla toccò del bottino regale, con il quale l'esercito e la patria si arricchirono. Infatti dal Senato furono assegnati sette iugeri di terra a ciascun cittadino e cinquanta a Curio; ma egli non volle superare quanto era stato assegnato al popolo, ritenendo che sarebbe stato cittadino poco degno della repubblica chi non si fosse accontentato di ciò che era stato attribuito a tutti gli altri». Episodi come questo erano noti a ciascun romano: con il solo nome dei discendenti corrotti, Sallustio doveva creare un brivido di contrasto nel lettore. Straordinario anche questo rapido ritratto di un uomo violento e instabile che partecipa alla congiura, non sa trattenersi, per vanità, dal rivelarlo e infine si riduce alla delazione (XXVIII); per la sua collaborazione gli furono assegnati dei premi, poi negati, come riferisce Svetonio (*Cesare* XVII), per l'intervento di Cesare.

2 Era forse parente del senatore nominato in XXXIX, 5; secondo altri la medesima Fulvia, che fu moglie successivamente di Clodio, Curione e del triumviro Antonio. Ma si tratta di ipotesi incerte.

3 Cicerone, nato ad Arpino nel 106, noto all'epoca soprattutto per la sua abilità di avvocato e l'onestà con cui aveva esercitato la questura in Sicilia nel 75, era *homo novus*, come prima di lui Catone e Mario. Nel sistema politico romano, dominato da un numero ristretto di famiglie, era abbastanza raro che un uomo non appartenente alla nobiltà senatoria potesse venire eletto console.

XXIV

1 Sallustio dice stranamente «*Manlium quemdam*» («un certo Manlio»), benché si trattasse di un personaggio molto noto, come si ricava da diverse fonti (e in particolare da Cicerone): valoroso ufficiale di Silla, abitava a Fiesole, città etrusca nella quale risiedevano molti veterani sillani su cui Catilina poteva contare (XXVIII, 4). Come risulta da Cicerone, Manlio venne a Roma durante i comizi elettorali del 64, quando Catilina si mostrava agli occhi di tutti «animoso e lieto, attorniato da uno stuolo di giovani, protetto da una barriera di delatori e di sicari [...], ben provvisto di un esercito formato dai coloni di Arezzo e di Fiesole» (*Pro Murena* XXIV, 49). Dopo la sconfitta elettorale, fu rimandato a Fiesole (XXVII e sgg.); qui e in tutta l'Etruria organizzò un esercito di cui restò a capo fino all'arrivo di Catilina (LVI). Morirà tra i primi nella battaglia finale (LX, 6).

XXV

[1] Secondo grande ritratto sallustiano dopo quello di Catilina (V). Discendente dalla *gens* dei Semproni (che annoverava anche i due Gracchi uccisi durante i tumulti del 133 e del 121), Sempronia era moglie di Decio Giunio Bruto, console nel 77, e madre di quel Decio Giunio Bruto Albino che prese parte all'assassinio di Cesare nel 44. Il ruolo di Sempronia nella congiura fu minimo: Cicerone non ne fa nemmeno il nome; nel *De coniuratione Catilinae* compare solo in XL, quando mette a disposizione la propria casa per favorire l'incontro fra i congiurati e i legati degli Allobrogi. Perché, allora, dedicarle un intero ritratto? Un'ipotesi è che Sempronia fosse figlia di Caio Gracco, «il che darebbe un significato particolare alla sua partecipazione alla congiura e spiegherebbe il silenzio di Cicerone. Ma per accogliere tale congettura bisognerebbe ammettere ch'ella fosse allora vicina ai sessant'anni: e la caratteristica di Sallustio non lo consente» (E. Malcovati, in Sallustio, *De Catilinae coniuratione*, Torino 1971, p. 90). Poco plausibile anche l'ipotesi che Sallustio voglia vendicarsi di Decio Bruto Albino, particolarmente inviso tra i cesaricidi per la sua ingratitudine nei confronti del dittatore ucciso: colpendo Sempronia, si voleva insomma colpire il figlio, suggerendo implicitamente un rapporto tra catilinari e cesaricidi. Ma «lo scrittore fa osservare che Sempronia era sposa e madre *satis fortunata*: il che suonava altamente elogiativo, da parte di Sallustio» (R. Syme, *Sallustio*, op. cit., p. 154). La spiegazione più verosimile è che Sallustio volesse semplicemente dipingere un *exemplum* di quella corruzione morale dell'aristocrazia romana che costituisce il tema centrale della sua opera. Il carattere drammatico e lo splendore retorico di questa pagina crea effetti di straordinaria potenza descrittiva.

[2] Bella, nobile, coraggiosa e spregiudicata, Sempronia era anche colta. Nel catonismo di Sallustio, che, pur affascinato, condanna le qualità artistiche della donna, riconosciamo un'antica *querelle* fra modelli greci e modelli romani, educazione alla greca ed educazione alla latina, sviluppatasi fin dal III secolo a.C. in Roma. All'epoca in cui i fatti si svolgono, la cultura ellenizzante si è ormai imposta: anche la Lesbia cantata da Catullo, sorella del tribuno Clodio e moglie di Quinto Metello Celere, discendente da un'antica e illustre famiglia come Sempronia, era nota per la sua bellezza, la vita libera che conduceva, gli interessi culturali e artistici che la caratterizzavano. Ancora nel 129 Scipione Emiliano, che pure aveva fama di liberalità, era stato educato ellenisticamente e aveva promosso la diffusione della cultura letteraria e filosofica in Roma, in un'orazione aveva deplorato la presenza di ragazzi e ragazze dell'aristocrazia romana nei *ludi saltatorii*, dove si apprendeva a danzare e cantare, attività considerate dalla morale quiritaria come indegne di un romano. Più di un secolo dopo Livio annoterà (*Ab urbe condita* XXXIX, 6, 7-9) che «il primo germe del lusso straniero fu introdotto a Roma dall'esercito d'Asia. Furono quei soldati i primi a importare letti decorati in bronzo, coperte preziose, drappeggi e altri tessuti e infine, cose ritenute allora come oggetti di una suppellettile lussuosa, tavole a un piede e abaci. Fu allora che ai banchetti si fecero intervenire danzatrici e sonatrici di sambuca e si aggiunsero altri spettacoli a delizia dei convitati; e

i conviti stessi cominciarono a essere imbanditi con maggior cura e sontuosità». Ma Ovidio, negli stessi anni di Livio: «Chi può dubitare che io non voglia che una donna sappia danzare, così da muovere elegantemente le braccia, se invitata al termine del banchetto? (*Ars amatoria* III, 349-350). Questa oscillazione continuerà in Roma anche durante i secoli dell'impero.

XXVI

[1] Il 62. Le elezioni cui si fa qui cenno si svolsero nell'estate del 63.
[2] Il console in carica assieme a Cicerone (per il quale vedi nota n. 5 XXI). Secondo la *lex Sempronia de provinciis consularibus* del 123, il Senato, prima dell'elezione dei nuovi consoli, doveva provvedere a sorteggiare le province dove i consoli uscenti si sarebbero recati l'anno successivo in qualità di proconsoli o di governatori. A Cicerone era toccata la Macedonia; ad Antonio la Gallia. Come Sallustio riferisce poco dopo, Cicerone scambiò la provincia ottenuta, più ricca e perciò ambita, con quella di Antonio, allo scopo di accattivarsene i favori e di staccarlo dall'influenza di Catilina.
[3] Insidie cui allude lo stesso Cicerone nella *I Catilinaria* (6, 15): «Quanti i tuoi tentativi di uccidermi, sia dopo la mia elezione sia dopo la mia entrata in carica! Quante volte sono sfuggito ai tuoi colpi – e colpi così ben diretti da essere con chiara evidenza impossibile evitarli – con un leggero scarto, come suol dirsi, del corpo!».
[4] Cicerone si era avvalso come guardie del corpo di giovani provenienti dalla prefettura di Rieti, «della cui collaborazione non manco mai di servirmi quando si tratta della difesa dello Stato» (*III Catilinaria* 2, 5). Di Rieti, come emerge dalla *Pro Scauro* (XII, 27), Cicerone era *patronus*.
[5] Sulle modalità e sugli avvenimenti che caratterizzarono queste elezioni, Sallustio tace. Ne parla invece diffusamente Cicerone nella *Pro Murena* (XXV, 51): Catilina, nei giorni precedenti alle votazioni, aveva promesso l'annullamento dei debiti e radicali rivolgimenti istituzionali nel caso fosse stato eletto. Cicerone, console in carica, sospese allora le operazioni elettorali e impose a Catilina di giustificarsi dinanzi al Senato riunito. Con la consueta protervia, Catilina rispose che «lo Stato ha due corpi, uno malfermo e con la testa fragile, l'altro vigoroso ma senza testa, e questo secondo, se si comporterà bene nei miei riguardi, non mancherà, finché io avrò vita, una testa». Nonostante queste minacciose dichiarazioni, il Senato non prese alcun provvedimento. Come osserva Cicerone nel medesimo passo, «i senatori erano alieni dal prendere delle decisioni energiche perché di essi una parte non aveva paura di niente, un'altra aveva paura di tutto». Così Catilina poté uscire dal Senato «tutto scattante e gongolante». Le elezioni furono rimandate di almeno un mese, a settembre, forse ottobre. In quel giorno Cicerone si presentò nel Campo Marzio armato di corazza e con un presidio di scorta. Furono eletti Licinio Murena e Giunio Silano. Catilina, di nuovo sconfitto dai voti, organizzò il colpo di Stato.
[6] Il Campo Marzio.

XXVII

¹ Per Manlio vedi nota n. 1 XXIV. Settimio e Giulio sono personaggi ignoti.

² Come risulta da Cicerone (*I Catilinaria* 3, 8; *Pro Sestio* IV, 9), Catilina tentò di occupare le città di Preneste e di Capua.

³ La casa di Porcio Leca (già nominato in XVII, 3) si trovava nella via dei *Falcarii*, un quartiere appartato di Roma. La riunione si svolse tra il 6 e il 7 novembre del 63. Cicerone ne diede subito notizia in Senato durante la seduta dell'8 novembre, presente lo stesso Catilina a cui si rivolse direttamente: «Io dichiaro che l'altra notte ti sei recato in via dei *Falcarii* – non lascerò nulla nell'ombra – a casa di Marco Leca, luogo di convegno di numerosi aderenti alla tua folle e scellerata congiura. Osi forse negarlo? Perché taci? Se lo neghi, ti sbugiarderò con le prove, dato che, a quel che vedo, sono presenti qui, in Senato, taluni che erano insieme con te. [...] Quella notte dunque tu, Catilina, sei stato in casa di Leca, hai suddiviso l'Italia tra i tuoi, hai fissato a ciascuno il luogo dove andare, hai scelto chi lasciare a Roma e chi condurre con te, hai assegnato i quartieri della città da incendiare, hai confermato l'imminenza della tua partenza, aggiungendo però che il fatto che io ero ancora in vita ti costringeva a rimandarla ancora per un poco. Si riuscì a trovare perfino due cavalieri romani disposti a liberarti da questa preoccupazione e a impegnarsi a uccidermi quella notte stessa, poco prima dell'alba, nel mio letto. Di tutti questi particolari io venni a conoscenza non appena la vostra adunanza si sciolse: aumentai notevolmente le misure difensive già adottate a protezione della mia casa, non feci entrare quelli che tu avevi inviato a darmi il saluto mattutino, visto che erano venuti proprio quelli della cui visita, a quell'ora, io avevo in anticipo informato molti illustrissimi cittadini» (*I Catilinaria* 4, 9-10). Secondo la versione di Cicerone, la riunione dei catilinari si svolse dopo i provvedimenti presi dal Senato nella seduta del 21 ottobre; provvedimenti che Sallustio, con inesattezza cronologica, colloca invece in XXIX e XXX.

XXVIII

¹ Personaggi già citati in XVII, 4 e 3.

XXIX

¹ Come già si è detto, Sallustio colloca dopo la riunione in casa di Leca la seduta del Senato che si tenne invece il 21 ottobre del 63.

² Si tratta della formula tecnica con cui il Senato, nei casi di grave pericolo dello Stato, conferiva pieni poteri d'azione ai consoli in carica (*senatusconsultum ultimum*). Il provvedimento fu preso per la prima volta durante i fatti del 121, contro Caio Gracco; per l'ultima volta nel 49, durante i giorni convulsi che portarono alla guerra civile tra Cesare e Pompeo.

XXX

[1] Personaggio ignoto.

[2] Il 27 ottobre del 63. La stessa data in Cicerone (*I Catilinaria* 3, 7).

[3] Anche Cicerone accenna a presagi e prodigi nella *III Catilinaria* (8, 18), e in particolare a cieli «infiammati di notte da meteore dalla parte di occidente», a cadute di fulmini, a terremoti.

[4] Erano ancora vivi l'orrore e l'atrocità della guerra servile contro Spartaco (73-71 a.C.), che aveva avuto inizio proprio con una rivolta in una scuola di gladiatori a Capua.

[5] Appartenente alla *gens Marcia* (che vantava la propria discendenza dal re Anco Marzio, da cui il cognome *Rex*), console nel 68, proconsole in Cilicia, dove combatté contro Mitridate.

[6] Console nel 69 e proconsole a Creta, che sottomise dopo che questa si era alleata con i pirati: da qui il trionfo e il soprannome di «Cretico».

[7] I generali non potevano entrare in città con il proprio esercito, obbligato a sostare fuori del pomerio in attesa del decreto senatorio. Marcio e Metello attendevano un trionfo che la fazione pompeiana (i *pauci* a cui allude Sallustio) voleva invece riservare allo stesso Pompeo, capo supremo delle guerre contro Mitridate e contro i pirati secondo la *lex Manilia* (66 a.C.) e *Gabinia* (65 a.C.). Secondo i pompeiani, in sostanza, Marcio e Metello erano dei semplici subalterni di Pompeo, e non potevano dunque ambire al trionfo (che Metello ebbe tuttavia l'anno successivo). Chiara l'accusa di corruzione nei confronti del Senato, che vendeva il trionfo al prezzo più vantaggioso.

[8] Entrambi pretori nel 63. Pompeo Rufo sarà poi governatore della provincia d'Africa (61 a.C.) e tribuno della plebe (52); Quinto Metello Celere, proconsole in Gallia cisalpina (62) e console nel 60, era marito di Clodia, cantata da Catullo con il nome di Lesbia.

[9] I gladiatori, reclutati fra i criminali condannati a morte, i forzati e gli schiavi, erano inseriti in una *familia gladiatoria* dove venivano addestrati. Anche Cicerone attribuisce a Catilina il disegno di servirsi, per la sua congiura, di gladiatori (*II Catilinaria* 12, 26).

[10] I magistrati, a Roma, si dividevano in maggiori (consoli, pretori, censori) e minori. Qui si allude ai *tresviri capitales* o *nocturni*, che avevano vari compiti: sorvegliare le carceri, controllare la città durante la notte, far eseguire le sentenze capitali. Riappariranno sinistramente in LV, 1.

XXXI

[1] Dal tempo della vittoria di Silla (82), la città di Roma non aveva più conosciuto violenze e guerre intestine.

[2] Lucio Paolo era fratello di Lepido, che partecipò con Ottaviano e Antonio al secondo triumvirato del 43.

[3] La *lex Plautia*, proposta nell'89 dal tribuno della plebe M. Plauzio Silvano, prevedeva pene severissime contro coloro che turbavano l'ordine pubblico mediante cospirazioni e violenze.

[4] Si tratta della celebre *I Catilinaria* pronunciata da Cicerone nella seduta

dell'8 novembre 63 e pubblicata tre anni dopo, nel 60. L'orazione non viene riportata da Sallustio proprio perché notissima e diffusa.

[5] Sarcastico e sprezzante l'insulto di Catilina: *inquilinus* era colui che abitava una casa non di sua proprietà. Arpino, dove Cicerone era nato, godeva della cittadinanza romana fin dal 303, del diritto di voto dal 188. Cicerone si difenderà da questa accusa nella *Pro Sulla* (VII, 22).

[6] La frase, riferita a una seduta precedente a questa, e rivolta contro Catone, è così riportata da Cicerone nella *Pro Murena* (XXV, 51): «[rispose che] se si fosse tentato di appiccare un incendio per distruggere la sua posizione, egli lo avrebbe spento non già con l'acqua, ma con le macerie» («*si quod esset in suas fortunas incendium excitatum, id se non aqua sed ruina restincturum*»).

XXXII

[1] È la notte dall'8 al 9 novembre. Dopo l'intervento di Cicerone in Senato, Catilina è costretto alla fuga. «*Cum paucis*» (improbabile la notizia di Plutarco, secondo il quale uscì di città con trecento armati), lungo la via Aurelia, si dirige verso Fiesole, dove Manlio aveva già organizzato un campo militare. Il giorno dopo, davanti al popolo riunito nel Foro, e non più solo in Senato, Cicerone pronuncerà la sua *II Catilinaria*.

XXXIII

[1] *Imperator* era il titolo con cui i soldati acclamavano un generale vincitore.

[2] Ritorna, nelle parole di Manlio, il problema dei debiti (vedi nota n. 1 XXI). Secondo la legislazione più antica il debitore insolvente perdeva la propria libertà personale a favore del creditore (non a caso qui si parla di «*corpora nostra*»). La *lex Poetelia Papiria* del 326 aveva proibito tale pratica, ma questo non aveva impedito la rovina di diverse famiglie e la diffusione dell'usura. I tassi normali sul denaro prestato si aggiravano intorno all'uno per cento al mese, il dodici all'anno, ma spesso le richieste erano molto maggiori. Anche personaggi noti per la loro intransigenza morale si dedicarono al prestito ad alto interesse: lo farà anche il tirannicida Bruto, che negli anni 56-50 prestò enormi cifre di denaro alla città di Salamina di Cipro con un tasso annuale del quarantotto per cento (avallato dal Senato romano). Interessante il punto di vista di Cicerone, che rispecchiava con molta probabilità quello degli ottimati: «Dovrà qualcuno abitare gratis in casa altrui? E perché? Io dovrei comperare, costruire, fare spese, perché altri, contro la mia volontà, usufruisca del mio? Che altro è questo, se non rubare agli uni il suo e darlo agli altri? E quale altro significato hanno le tavole nuove, se non che tu comperi e abbia un fondo col mio denaro, e io ne sia defraudato? Non si contraggano quindi debiti che possano nuocere allo Stato; e ciò si può impedire in molti modi. Ma se questi debiti vi sono, i creditori non debbono perdere il loro denaro, né i debitori avvantaggiarsene; non c'è cosa che giovi di più alla repubblica che la fiducia, che non potrà

mai esservi, se non si renderà necessario il pagamento dei debiti. E in nessun altro tempo, come sotto il mio consolato, si brigò tanto per non pagare i debiti; si fece di tutto da parte di ogni ordine e qualità di cittadini; ma io tenni testa a tutti, per liberare la repubblica da tanto male. Non vi erano stati mai tanti debiti; eppure mai furono più prontamente e più facilmente pagati; tolta infatti ogni possibilità di commettere frodi, ne venne di conseguenza la necessità di pagare. Ma costui [Cesare], allora vinto, poi vincitore, attuò quei piani che prima gli stavano a cuore, quantunque la cosa non l'interessasse più» (*De officiis* II, 23-24, 84-85). Il brano fu scritto nel 44, dopo l'uccisione di Cesare, al quale Cicerone attribuisce, a distanza di vent'anni, non solo un ruolo ma anche un preciso obiettivo nella congiura di Catilina: far votare delle leggi per cancellare o almeno diminuire i debiti accumulati. Sallustio tace di Cesare, ma non di quella che doveva essere la causa scatenante della congiura.

[3] Il riferimento è alla *lex Valeria de aere alieno* promulgata nell'86: in virtù di essa, venivano condonati tre quarti dei debiti contratti (un asse di bronzo valeva infatti la quarta parte di un sesterzio d'argento).

[4] Tre furono gli episodi di secessione durante l'epoca repubblicana: nel 494 sul Monte Sacro (con annesso discorso di Menenio Agrippa), nel 449 sull'Aventino, nel 287 sul Gianicolo. Sia nel primo che nel terzo caso per debiti; nel secondo per protestare contro i soprusi dei decemviri.

XXXIV

[1] I *consulares* erano tutti quei cittadini che in passato avevano ricoperto la carica di console.

[2] Si tratta naturalmente di un'informazione falsa, per depistare, almeno inizialmente, i suoi nemici. A Marsiglia, fiorente centro culturale e commerciale, si recavano spesso, per il clima dolce e la vita piacevole, i romani costretti all'esilio.

[3] Quinto Lutazio Catulo, console nel 78, censore nel 65, era uno dei maggiori rappresentanti del partito conservatore e nemico di Cesare (come si vedrà in XLIX). Aveva difeso Catilina nel processo del 73 a cui Sallustio fa riferimento in XV, 1. Voterà per la condanna a morte dei catilinari.

[4] Sallustio dice qui «*exemplum*» («copia letterale»), per sottolineare che si tratta di un vero e proprio documento (mentre altrove, quando rielabora, usa l'espressione «*huiusce modi*»). *Idem* in XLIV, 4.

XXXV

[1] Nell'originale latino «*dius fidius*», il dio che custodiva la parola data e proteggeva i giuramenti.

[2] Su Orestilla, seconda moglie di Catilina, vedi XV, 2.

[3] Chiaro il riferimento, fra gli altri, a Cicerone, *homo novus*, già definito con albagia in XXXI, 7 «*inquilinus urbis Romae*».

XXXVI

¹ Ancora un personaggio a noi ignoto; forse un antico ufficiale di Silla, come Manlio.

² Consoli e proconsoli erano preceduti dai littori con fasci e scuri. Altre insegne erano la sella curule e il *paludamentum*, il mantello del comandante. Cicerone aggiunge che Catilina aveva mandato innanzi un'aquila d'argento (che comparirà in LIX, 3) appartenuta a Mario durante la guerra contro i Cimbri, e a lui particolarmente cara (*I Catilinaria* 9, 24). Naturalmente Catilina abusa di insegne che non gli potevano spettare, per far colpo sui propri seguaci.

³ Inizia la seconda digressione dell'opera (XXXVI, 4-XXXIX, 4): nella prima (VI-XIII) Sallustio aveva rievocato le fasi più importanti della storia romana fino a Silla; ora analizza le condizioni politiche e sociali della città dopo la morte di Silla.

XXXVII

¹ Silla, nell'81, aveva portato da trecento a seicento il numero di senatori, prelevandoli per la maggior parte dall'ordine equestre; non è escluso che alcuni provenissero da famiglie di origini modestissime. Il tema ritorna, con ancora maggior veemenza, e riferito alla propria personale situazione, nel prologo della *Giugurtina* (IV, 4): «Ma se rifletteranno essi in quali tempi io ottenni la magistratura e quali uomini non vi poterono giungere, e che razza di gente entrò poi nel Senato (*quae genera hominum in senatum pervenerint*), per certo stimeranno che io più per riflessione che per debolezza abbia mutato proposito, e che maggior vantaggio verrà allo Stato dai miei riposi che non dal trafficare degli altri». In effetti sia Cesare che Marco Antonio favorirono la prassi iniziata da Silla, e in particolare negli anni in cui Sallustio scrive le sue due monografie. Ancora una volta Sallustio si sforza di leggere la storia in avanti, per ciò che essa ha prodotto, nei risultati estremi del suo moto.

² Distribuzioni di grano a prezzo ridotto non erano mai mancate fin dai primi secoli della repubblica, ma solo con la *lex Sempronia frumentaria* del 123, voluta da Caio Gracco, lo Stato si assunse direttamente l'onere di distribuire periodicamente grano a prezzo politico. La legge fu ridimensionata poco dopo il 100 a.C., e forse abolita da Silla. Dopo il 78 nuove leggi la ristabilirono più o meno integralmente. Nel 58 Clodio farà approvare una legge che assicurava una regolare distribuzione di grano ai cittadini romani, non più a prezzo controllato ma interamente gratuita, con una spesa che raggiunse annualmente, secondo Cicerone, un quinto del tesoro pubblico. Ma accanto alle elargizioni pubbliche, si fecero sempre più frequenti quelle private (di viveri, di vesti, di denaro), con lo scopo di ingraziarsi i favori della folla e degli elettori.

³ Allusione alla *lex Cornelia de proscriptione* dell'82, con la quale Silla aveva escluso dal Senato e dalle magistrature i figli e i nipoti dei proscritti. La legge fu abolita solo nel 49, per volontà di Cesare.

⁴ «*Id malum*» sono i tumulti della plebe, cessati nell'82 quando Silla aveva praticamente annullato il potere dei tribuni con la *lex de tribunicia potestate*, abolita poi nel 70 in virtù della *lex Pompeia Licinia* di Pompeo e Crasso a cui si fa riferimento nel capitolo successivo: da allora nuove agitazioni di massa ripresero a inquietare l'ordine pubblico.

XXXVIII

¹ Tutto XXXVIII, 3 e 4 segue passo passo un brano della *Guerra del Peloponneso* di Tucidide (III, 82, 8), dove si descrivono gli effetti dei conflitti interni nelle città della Grecia: «Infatti coloro che avevano raggiunto il potere nella città, professandosi, a seconda del partito, per l'uguaglianza delle leggi di fronte a tutti nella vita civile, o pel governo dei migliori, il cui pregio è la saggia moderazione, devoti servitori, a parole, della città, la consideravano premio delle loro ambizioni; e nella lotta accanita per il predominio, non arretravano dinanzi alle iniziative più atroci: ancora più sfrenati nelle vendette, nel perseguire le quali non si arrestavano ai limiti del diritto e dell'utile della città».

XXXIX

¹ Pompeo ebbe l'incarico di combattere i pirati nel 67; l'anno successivo gli fu affidato il comando supremo nella seconda guerra contro Mitridate, che si protraeva dal 74, e che era stata condotta fin allora da Licinio Lucullo. In entrambi i casi Pompeo vinse con grande rapidità e determinazione.

² Catilina, insomma, avrebbe finito in ogni modo, anche vincendo, per favorire qualcun altro più potente di lui: Pompeo, Crasso o Cesare, presumibilmente. Ma Sallustio, mentre scrive, sta certamente pensando alla guerra civile in corso tra Antonio e Ottaviano, dagli sviluppi in quel momento ancora incerti.

³ L'episodio è narrato nella *Storia romana* di Dione Cassio (XXXVIII, 36, 4) e nell'opera di Valerio Massimo (*Fatti e detti memorabili* V, 8, 5): «Aulo Fulvio, personaggio dell'ordine senatorio, non mise minor energia a trattenere il proprio figlio che andava a combattere, di quanta non ne usò Scauro verso il figlio che fuggiva dal combattimento. Infatti quel giovane che primeggiava fra i compagni per ingegno, cultura e bellezza, con colpevole decisione aveva abbracciato il partito di Catilina e si dirigeva verso il campo di costui correndo con cieco ardore. Arrestato a metà cammino lo mise a morte, dicendo che l'aveva generato non perché combattesse con Catilina contro la patria, ma contro Catilina per la patria».

XL

¹ Umbreno, un uomo d'affari che operava in Gallia, liberto secondo Cicerone, finirà poi arrestato e condannato a morte.

² Gli Allobrogi erano una popolazione celtica; abitavano un territorio com-

preso fra il Rodano, l'Isère e il lago di Ginevra; la capitale era Vienne, nell'odierno Delfinato. Sottomessi nel 121 da Quinto Fabio Massimo, si erano ribellati più volte, e ancora pochi anni prima (66 a.C.), al dominio romano. Nel loro territorio si svolgevano molti commerci, in genere controllati da cittadini romani. Costretti a ricorrere a prestiti privati per pagare le onerose pubbliche imposte riscosse dagli appaltatori romani, avevano finito per accumulare ingenti somme di debiti, «*publice privatimque*»; due loro ambasciatori (come risulta da Plutarco, *Cicerone* XVIII, 4) si trovavano perciò a Roma per chiedere aiuti, sovvenzioni, esenzioni, o almeno una dilazione nei pagamenti. Fino a quel momento senza successo.

[3] Bruto era marito di Sempronia (XXV).

[4] Per Gabinio, vedi XVII, 4.

XLI

[1] I duecentomila sesterzi promessi a chi avesse dato informazioni sulla congiura (XXX, 6).

[2] La dea Fortuna era molto venerata in Roma, come testimoniano i numerosi templi e luoghi di culto a essa dedicati: uno antichissimo nel Foro Boario, attribuito a Servio Tullio; tre sul Quirinale, tra cui il tempio dedicato alla *Fortuna publica populi Romani primigenia*; e ancora sul Palatino (tempio della *Fortuna privata*), sull'Esquilino (tempio della *Fortuna respiciens*) e nella parte settentrionale dei *Castra Praetoria*, dove sorgeva l'altare della *Fortuna restitutrix*.

[3] L'istituto del patronato, uno dei più antichi della società romana, poteva essere esteso anche ai popoli sottomessi, che venivano posti sotto la protezione del generale conquistatore; il *patrocinium* era trasmesso ereditariamente ai discendenti. A Fabio Sanga, discendente da Quinto Fabio Massimo, console nel 121 e vincitore degli Allobrogi, competeva dunque istituzionalmente la difesa degli interessi di quel popolo in Roma.

XLII

[1] La Gallia, prima della conquista di Cesare, si divideva in «citeriore» (al di qua delle Alpi) e «ulteriore» (al di là delle Alpi). La *Gallia citerior* o *cisalpina*, conquistata dai Romani tra la prima e la seconda guerra punica, comprendeva la pianura padana, e si divideva in *transpadana* (al di là del Po) e *cispadana* (al di qua del Po); la *Gallia ulterior* o *transalpina*, detta anche *narbonensis* o semplicemente *Provincia*, era composta dalle odierne regioni del Delfinato e della Provenza, ed era stata conquistata tra il 125 e il 118 a.C.

[2] La regione del Bruzzio coincideva approssimativamente con quella dell'odierna Calabria.

[3] Quello deliberato in XXXVI, 2.

[4] Per Metello vedi nota n. 8 XXX.

[5] Gaio Murena era fratello del Licinio Murena a cui Sallustio ha accennato in XXVI, 5. A dire il vero nei codici si trova «Gallia citeriore», ma Cicero-

ne (*Pro Murena* LXXXIX), che parla di «Gallia ulteriore», pare più attendibile: di qui la correzione degli editori. Difficile dire se si tratti di un errore nella trasmissione dei testi o di una svista di Sallustio. *Legatus* era il so-
stituto di un magistrato (console, pretore, proconsole) che, costretto ad al-
lontanarsi per un certo periodo, affidava la propria carica a una persona di
fiducia.

XLIII

[1] In XXXII, 2 Catilina aveva esortato i compagni a promuovere tumulti
mentre contemporaneamente si avvicinava con l'esercito a Roma, da cui
Fiesole appare invece troppo distante; lo confermerebbe anche l'espressione «*ad Catilinam erumperent*» in questo stesso capitolo: Catilina avrebbe
dovuto trovarsi, all'inizio dell'insurrezione, nei pressi della capitale. Alcuni
hanno pensato a un errore dei codici, modificando «*Faesulanum*» con «*Ae-
fulanum*», da *Aefula*, una cittadina posta fra Tivoli e Preneste, a poca distanza da Roma.
[2] Per Bestia vedi XVII, 3. Eletto tribuno durante i precedenti comizi, doveva entrare in carica il 10 dicembre. Non poteva dunque convocare l'assemblea del popolo prima di quella data. Secondo Cicerone (*III Catilinaria*
4, 10) la data dell'insurrezione era stata collocata durante i Saturnali (17-23
dicembre), giorni festosi e confusi, e perciò adatti a un'azione rivoluziona-
ria. Anche Cicerone conferma il disaccordo di Cetego, al quale «tale data
sembrava troppo lontana».
[3] Per Statilio e Gabinio vedi XVII, 4. Lo stesso per Cetego, nominato più
sotto.

XLIV

[1] Per Cassio, l'unico a non cadere nel tranello, vedi XVII, 3.
[2] Il *sigillum*, secondo la prassi giuridica romana, aveva lo stesso valore della
nostra firma.
[3] Personaggio per noi ignoto. Crotone, dove un tempo aveva operato Pita-
gora, era stata fino al III secolo a.C. una delle più fiorenti città greche d'I-
talia. Era sede di una colonia romana dal 194.
[4] Ancora un *exemplum* (come in XXXIV, 3), cioè un documento non rielaborato dall'autore ma proposto nella sua integrità letterale. Qualche diffe-
renza, in realtà, non manca rispetto allo stesso testo riportato da Cicerone
nella *III Catilinaria* (5, 12): «*Quis sim, scies ex eo, quem ad te misi. Cura ut
vir sis, et cogita quem in locum sis progressus et vide quid tibi iam sit necesse et
cura ut omnium tibi auxilia adiungas, etiam infirmorum*» («Chi io sia lo saprai da colui che ti ho mandato. Cerca di essere un uomo e rifletti fino a
che punto ti sei spinto, considera cosa ormai ti sia necessario fare e provve-
diti dell'aiuto di tutti, anche della gente di più bassa condizione»). Giusta-
mente Syme propende per la maggiore aderenza all'originale di Cicerone,

osservando che «la frase *scire ex* è colloquiale, e *cura ut* appartiene allo stile epistolare» (*Sallustio*, op. cit., p. 89).
[5] Questi *infimi* sono gli schiavi, come si arguisce dal paragrafo successivo.

XLV

[1] La notte fra il 2 e il 3 dicembre del 63. Gli arresti seguirono all'alba del 3; al tramonto Cicerone pronunciò dinanzi al popolo, nel Foro romano, la sua terza *Catilinaria*.
[2] Figlio dell'omonimo console autore della *lex Valeria de aere alieno* (citata a proposito di XXXIII, 2), pretore nel 63, propretore l'anno dopo in Asia, Valerio Flacco fu accusato di estorsione di ritorno dall'Oriente e assolto grazie alla difesa (*Pro Flacco*) di Cicerone nel 59.
[3] Gaio Pontino era stato legato di Crasso nel 71 durante la guerra contro Spartaco; pretore nel 63, fu propretore nella Gallia narbonese, dove domò nel 61 un'insurrezione degli stessi Allobrogi. Nel 51 fu legato di Cicerone durante il suo proconsolato in Cilicia.
[4] Per il Ponte Milvio passava la via Flaminia, che poco più oltre si biforcava: da una parte si proseguiva per l'Adriatico; dall'altra si imboccava la via Cassia, che portava in Etruria toccando Arezzo e Fiesole. Sul racconto dell'agguato che segue, possediamo anche la versione di Cicerone (*III Catilinaria* 2, 5-6): «Ieri, dunque, convocai i pretori Lucio Flacco e Gaio Pontino, due bravi patrioti pieni di coraggio, esposi la situazione, spiegai il mio piano. Ed essi, dotati come sono di sentimenti patriottici fuori del comune, sotto ogni riguardo, senza un attimo di esitazione e senza perdere un momento si assunsero la responsabilità dell'impresa, si recarono in tutta segretezza – stava già scendendo la sera – al Ponte Milvio e là si appostarono nelle fattorie adiacenti, dividendosi in due gruppi, con in mezzo esclusivamente il Tevere e il ponte. Essi, poi, vi avevano condotto di loro iniziativa, senza generare il minimo sospetto, parecchi coraggiosi, mentre io avevo inviato uno scelto e numeroso drappello di giovani di Rieti, della cui collaborazione non manco mai di servirmi quando si tratta della difesa dello Stato. Intanto, suppergiù verso le tre del mattino, ecco che, mentre gli ambasciatori degli Allobrogi, accompagnati da numeroso seguito e pure da Volturcio, stavano imboccando il Ponte Milvio, vengono assaliti: da una parte e dall'altra si sfoderano le spade. In verità, soltanto i due pretori erano al corrente di ogni cosa, mentre tutti gli altri ne erano all'oscuro. Intervengono allora Pontino e Flacco e la zuffa, ormai incominciata, cessa». Cicerone, come sempre, misura perfettamente l'intero quadro dell'azione; Sallustio è invece attratto da alcuni particolari, e si concentra sull'episodio drammatico, e insieme patetico, di Volturcio, da Cicerone ignorato.

XLVI

[1] Nei primi due paragrafi, a cui deve aver pensato Manzoni in diverse pagine dei *Promessi sposi*, è reso drammaticamente, con splendore retorico, lo stato d'animo combattuto e diviso, fra gioia e ambage, concitazione e ri-

flessione, di Cicerone. La soluzione («*confirmato animo*») giunge come un sollievo per il protagonista come per il lettore.

² Di questo Cepario parla anche Cicerone nella *III Catilinaria* (6, 14): «incaricato di spingere alla rivolta i pastori della Puglia», verrà arrestato poco dopo (XLVII) e successivamente condannato a morte (LV, 6).

³ In quanto pretore, Lentulo poteva essere arrestato solo da un magistrato a lui superiore di grado. Nel capitolo successivo Cicerone lo costringerà a dimettersi, perché un magistrato in carica non poteva essere processato.

⁴ Il tempio della Concordia, costruito da Camillo nel 366 a.C. per la raggiunta concordia tra patrizi e plebei dopo le leggi Licinie Sestie, sorgeva vicino al Foro, ai piedi del Campidoglio. Vi si svolgevano spesso le sedute del Senato.

XLVII

¹ Le sibille erano antichissime profetesse ispirate da Apollo; la più famosa, in Italia, fu la sibilla cumana, venuta in Campania dalla Troade poco prima dell'arrivo di Enea. Secondo la tradizione vendette a Tarquinio il Superbo i *Libri sibyllini* o *lintei* (perché scritti su fasce di lino) che vennero poi custoditi e interpretati da magistrati speciali nei momenti più gravi della storia romana. Composti in lingua greca e conservati sul Campidoglio in una volta del tempio di Giove, andarono distrutti durante un incendio nell'83 a.C. (lo stesso ricordato poco dopo); in parte ricostituiti, subirono poi diverse revisioni a opera di Augusto e Tiberio. «L'oracolo esercitava una funzione importante nella vita politica del mondo antico; i presagi, pronunciati dalle sibille in *trance*, contenevano una fatalità che né gli dei potevano modificare né la religione scongiurare. Nell'ultimo secolo della repubblica, si moltiplicarono i prodigi, indizio di inquietudine spirituale; in questi casi, si consultavano i libri sibillini.» (L. Storoni Mazzolani, in Sallustio, *La congiura di Catilina*, Milano 1976, p. 153.)

² Console nell'87 e nell'86, partigiano di Mario, mise a ferro e fuoco la città di Roma tra l'86 e l'84, mentre Silla era partito per l'Asia e Mario era da poco morto. Fu ucciso durante un ammutinamento dei suoi soldati (84 a.C.).

³ Poiché nei libri sibillini si trovava detto che Roma sarebbe stata dominata da tre C, si diffuse la voce che si trattasse di tre rappresentanti della *gens Cornelia*, di cui anche Lentulo, come Cinna e Silla, faceva parte. Così anche in Cicerone (*III Catilinaria* 4, 9): «Lentulo, poi, aveva loro [cioè ai legati degli Allobrogi] dato l'assicurazione che, sulla base degli oracoli Sibillini e dei responsi degli aruspici, egli era quel famoso terzo membro della gente Cornelia al quale doveva ineluttabilmente toccare, in questa nostra città, quel potere assoluto, proprio di un re, che prima di lui avevano tenuto Cinna e Silla. Aveva pure aggiunto che questo è l'anno predestinato per la distruzione di Roma e del suo impero, in quanto è il decimo dopo l'assoluzione delle vergini Vestali [episodio trattato anche da Sallustio in XV, 1] e il ventesimo dopo l'incendio del Campidoglio». Quanto agli aruspici, erano

sacerdoti di origine etrusca (ma in seguito anche romani di nascita) in grado di predire il futuro esaminando le viscere degli animali sacrificati.

[4] Anziché essere incarcerati, Lentulo e gli altri vengono assegnati in custodia a cittadini di eminente condizione che se ne fanno garanti, in attesa del processo; trattamento di riguardo per uomini che appartenevano alle più illustri famiglie della città. Spiccano, tra i custodi, le figure di Cesare e di Crasso, sospettati di aver nutrito rapporti con la congiura: una posizione imbarazzante, forse volutamente calcolata dal console.

[5] Pretore nel 60, propretore in Spagna nei due anni successivi, Lentulo Spintere fu poi console nel 57, quando si adoperò per far tornare Cicerone dall'esilio inflittogli nel 58.

[6] Quinto Cornificio era stato tribuno della plebe nel 69, pretore con Cicerone nel 66, poi candidato a console nel 64 senza essere eletto.

[7] Pretore designato per il 62.

XLVIII

[1] Di Tarquinio non sappiamo altro; Cicerone tace il suo nome.

[2] Per Autronio vedi XVII, 3.

[3] Parziale, sotto una patina di oggettività, il trattamento che lo storico riserva a Cesare e a Crasso in questo e nel seguente capitolo. Cesare viene scagionato da ogni sospetto con veemenza; al termine del quadro tracciato comparirà quasi come una ingiusta vittima della tensione (XLIX, 4). Il discorso su Crasso è invece centrato esclusivamente sulla sua immensa potenza («*hominem nobilem, maxumis divitiis, summa potentia*, [...] *tanta vis hominis* [...] *plerique Crasso ex negotiis privatis obnoxii*»), sulla paura che il suo nome incuteva, sull'enorme rete di interessi nella quale era coinvolto. Il lettore ha la sensazione che il quadro si offuschi man mano: sono tutte dicerie, ma gravi e maligne. Alla fine del capitolo, poi, Sallustio ricorre addirittura, ed è un caso unico in tutta la sua opera, a una personale confidenza, lasciando che sia lo stesso Crasso a dover confutare le infamanti voci sul suo conto, scaricandone la responsabilità su Cicerone. Testimonianza per sua natura inattendibile e priva di valore.

XLIX

[1] Per Quinto Catulo vedi nota n. 3 XXXIV.

[2] Calpurnio Pisone, pretore nel 70, console nel 67, proconsole tra il 66 e il 65 nella Gallia narbonese, fu accusato dagli Allobrogi di concussione al suo ritorno a Roma. Cesare lo accusò anche di aver mandato a morte ingiustamente un provinciale. Il processo si era tenuto proprio nei primi mesi del 63: difeso da Cicerone, Pisone era stato assolto.

[3] Veramente Cesare, al momento dell'elezione, aveva già 37 anni, non più dunque *adulescentulus*; Catulo doveva essere invece sulla cinquantina, non dunque «*extrema aetate*».

[4] Già solo nei due anni precedenti la congiura, Cesare aveva accumulato in-

gentissimi debiti a causa dei sontuosi e inauditi spettacoli organizzati da edile (65 a.C.) e delle largizioni pubbliche per conseguire il pontificato (64).

[5] Ma l'episodio avvenne due giorni dopo, nella seduta del 5 dicembre, dopo che Cesare ebbe pronunciato il discorso riportato in LI (secondo la versione di Svetonio, *Cesare* XIV, 4), o mentre ancora sedeva nell'adunanza (secondo la versione di Plutarco, *Cesare* VIII, 2).

L

[1] I presidi vengono disposti da Cicerone nella notte fra il 4 e il 5; la seduta del Senato si tiene nella giornata del 5; con «*paulo ante*» si deve intendere il giorno prima, il 4 dicembre del 63.

[2] Console designato per il 62 assieme a Lucio Murena (v. nota n. 5 XXVI). Era marito di Servilia, sorellastra di Catone, a sua volta madre del futuro cesaricida Bruto, avuto da un precedente matrimonio. Secondo consuetudine, i primi interventi erano riservati ai consoli designati, poi, in rigoroso ordine, ai *consulares*, ai pretori, agli edili, ai questori.

[3] Per Cassio e Annio vedi XVII, 3; per Umbreno XL, 1. Furio viene qui nominato per la prima volta: da Cicerone sappiamo che era anch'egli un colono di Fiesole.

[4] Appartenente alla prestigiosa famiglia dei *Claudii*, avo dell'imperatore Tiberio.

[5] La formula «*huiusce modi*» testimonia, come già in altre occasioni, che il discorso di Cesare è stato rielaborato nel linguaggio e nello stile. Sallustio doveva conoscerlo bene, perché era stato fatto stenografare da Cicerone e poi trascritto nei verbali delle sedute. Retoricamente appare strutturato nelle seguenti parti: 1) esordio (1-6); 2) narrazione (7-15); 3) dimostrazione (16-42); 4) perorazione (43). Altre fonti dell'orazione sono Cicerone (*IV Catilinaria* 4, 7-10), Plutarco (*Cicerone* XXI) e Svetonio (*Cesare* XIV).

LI

[1] Le prime due parole dell'esordio sono le stesse con cui Sallustio ha iniziato la sua monografia: segno indiscutibile di una comunanza di idee. Ma questa prima frase, a sua volta, è modellata su un altro esordio, quello dell'orazione di Demostene *Sui fatti del Chersoneso* (VIII, 1): «Bisognerebbe, Ateniesi, che nessun oratore parlasse mai per odio o per compiacenza, ma che ciascuno si limitasse a dare il suggerimento che ritiene migliore, specie quando si discute su argomenti importanti e di interesse generale. Ma poiché alcuni sono indotti a parlare per spirito di rissa o per qualche altra ragione, voi, Ateniesi, che siete il popolo, dovete trascurare ogni altro elemento e solo quello che stimate conveniente per la città approvare ed attuare». La solenne apostrofe ai senatori («*patres conscripti*»), ripetuta più volte, sottolinea l'eccezionalità e la gravità del momento. Concentrazione intellettuale, pragmatismo, finezza diplomatica, raffinata cultura, esatto e lu-

cido dominio della materia qualificano il discorso e il suo autore, che non rinuncia alla forza del sarcasmo e del paradosso, riflette sul grande passato di Roma, ne ricorda la saggezza giuridica, disquisisce sulla natura dell'anima e della morte. La proposta di Cesare è fondata sul *tópos* della legittimità, sostenuta con argomentazioni sottili e a volte capziose: poiché nessun castigo sarà mai adeguato alle colpe commesse (egli afferma) ogni tentativo di forzare la legge ordinaria non può che risultar vano. Così Cesare si scagiona da ogni possibile coinvolgimento politico accusando; ma protegge gli accusati proponendo blande e innocue sentenze.

[2] Durante la guerra di Siria contro Antioco III (192-190 a.C.), Rodi, allora grande centro commerciale del Mediterraneo, indipendente dopo lo smembramento dell'impero di Alessandro Magno (323 a.C.), aveva parteggiato per Roma ed era stata ricompensata con il controllo delle province di Caria e di Licia in Asia Minore. Vent'anni dopo, durante la terza guerra macedonica (171-168 a.C.) a cui allude Cesare nella sua orazione, Rodi scelse di restare neutrale, simpatizzando per il re Perseo di Macedonia. Conclusa la guerra con la vittoria di Pidna (168 a.C.) per opera di Lucio Emilio Paolo, a Roma si giunse a proporre un intervento militare punitivo contro Rodi. Nella primavera del 167 Catone intervenne in Senato con un'orazione (*Pro Rhodiensibus*) nella quale consigliava moderazione e perdono. Prevalse questa tesi, ma non furono evitate le sanzioni contro l'isola: tolte le province acquistate nel 190; istituito a Delo un portofranco che influì pesantemente sull'economia rodiense. Il racconto dei fatti si trova in Livio (*Ab urbe condita* XXXVII, 56 e XVL, 20, 4 sgg.), Polibio (*Storie* XXX, 4, 1 sgg.) e Diodoro Siculo (*Biblioteca storica* XXXI, 5, 1-3). Sulla *Pro Rhodiensibus* possediamo numerosi frammenti e un lungo capitolo di Aulo Gellio (*Noctes atticae* VI, 3). Su tutta la questione il volume a cura di G. Calboli: M. Porci Catoni, *Oratio pro Rhodiensibus*, Bologna 1978. Abilissimo l'esordio di Cesare, che non solo ricorda al Senato riunito celebri episodi di clemenza romana del passato, ma nomina espressamente una richiesta di perdono e di moderazione del vecchio Catone, noto per la sua intransigenza. Il richiamo di Cesare alla *Pro Rhodiensibus* va anche letto in corrispondenza con il capitolo successivo, quando il giovane Catone, pronipote del Censore, chiederà la pena di morte per i catilinari catturati.

[3] Allusione a un episodio della seconda guerra punica narrato da Polibio (*Storie* XV, 2-4): Cartagine aveva teso un tranello per uccidere gli ambasciatori romani, che erano però riusciti miracolosamente a salvarsi. Gli ambasciatori punici giunti da poco in Roma temettero allora una rappresaglia: ma Scipione diede l'ordine che fossero rimandati in patria con ogni riguardo. Polibio, a questo punto, osserva che fu una decisione «nobile e saggia. Infatti, [Scipione] facendo rilevare che la sua patria rispettava scrupolosamente la lealtà verso gli ambasciatori, non tanto ebbe presente il trattamento di cui erano degni i Cartaginesi, quanto il comportamento che si conveniva ai Romani». L'espressione di Sallustio-Cesare è una parafrasi di quella di Polibio.

[4] La proposta di condanna a morte viene abilmente definita «*novom consilium*»; pochi paragrafi dopo «*genus poenae novom*», una misura non contemplata dalle leggi, quindi illegale. Diverse leggi, a cui Cesare farà riferi-

mento più volte nel suo discorso, vietavano in effetti l'esecuzione capitale e la fustigazione di un cittadino romano in assenza della *provocatio ad populum* (l'appello al popolo): le *leges Porciae* (promulgate nel 198 a.C., 195 e 184); la *lex Valeria de provocatione* (promulgata nel 300), risalente, secondo le fonti latine, addirittura agli inizi della repubblica (509); infine la *lex Sempronia* (promulgata nel 123). Ogni cittadino romano godeva inoltre del diritto di andare in esilio prima che il giudizio fosse pronunciato: in tal caso il processo veniva sospeso. Vedi anche nota n. 10.

5 Il pensiero è epicureo: con la morte del corpo muore anche l'anima, composta ugualmente di atomi, sebbene più sottili e impalpabili; non esiste alcun oltretomba, nessun premio o castigo dopo la nostra vita terrena; la morte non ci deve fare paura, perché rappresenta solo il termine dei nostri mali. Sono gli anni in cui la filosofia epicurea si diffonde nella società romana, gli stessi in cui Lucrezio compone il poema *De rerum natura*. Anche Cicerone riporta, con più ampiezza, la digressione filosofica di Cesare («concepisce la morte fissata dagli dei immortali non già come punizione di una colpa, ma come inevitabile tributo alla natura o come liberazione dai nostri travagli e dalle nostre pene. È per questo che i saggi non le sono mai andati incontro malvolentieri, mentre i forti non di rado l'hanno fatto perfino con letizia. Al contrario il carcere, e particolarmente quello a vita, è stato senza dubbio escogitato come punizione esemplare di un nefando delitto»), per concludere, poco dopo, con un'osservazione molto acuta: «È per questo che, volendo che i malvagi avessero davanti agli occhi, in vita, un qualche spauracchio, gli antichi sostennero l'esistenza, nell'aldilà, di certi supplizi di tal genere, ben comprendendo, immagino, che senza di questi la morte stessa non contenga più niente che possa incutere spavento» (*IV Catilinaria* 4, 7-8). Come sosterrà ancora Machiavelli, la religione favorisce la moralità pubblica e la giusta amministrazione dello Stato: se anche gli dei non esistessero, osserverà ancora Cicerone nelle sue opere filosofiche, bisognerà fare in modo, per il bene di tutti, che esistano.

6 Al termine della guerra del Peloponneso (431-404 a.C.), lo spartano Lisandro impose ad Atene, sconfitta, un governo oligarchico affidato a trenta magistrati sotto il controllo di Sparta: triste *exemplum*, nella storia antica, di governo fazioso e persecutorio. Le prime esecuzioni riguardarono i sicofanti, cioè coloro che erano vissuti, durante il precedente governo popolare, di false accuse; ma ben presto seguirono condanne ingiustificate e arbitrarie.

7 Dopo la vittoria di Porta Collina (82 a.C.), Silla fece giustiziare il mariano Giunio Bruto, soprannominato Damasippo, responsabile di efferati eccidi (tra cui quello del pontefice massimo Scevola). Ma anche in questo caso seguirono massacri e proscrizioni: molti innocenti, rei solo di possedere dei beni, furono denunciati, uccisi o esiliati.

8 Il concetto era già in Polibio: «I Romani notarono questi vantaggi dell'armamento greco e lo adottarono: essi, infatti, più di ogni altro popolo, sono pronti a cambiare i loro usi e a imitare quelli che ritengono migliori» (*Storie* VI, 25, 11). Anche Cicerone, nel proemio delle *Tusculanae disputationes* (scritto presumibilmente nell'estate del 45): «ma io sono sempre stato convinto che i Romani nelle loro creazioni originali o abbiano mostrato

più ingegno dei Greci, o abbiano reso più perfetto quanto hanno preso da essi – quello almeno che giudicavano meritevole del loro impegno».

[9] Dai Sanniti i Romani presero lo scudo quadrato e il giavellotto; dagli Etruschi (secondo Livio, *Ab urbe condita* I, 8, 3) le insegne dei magistrati, fra cui la toga pretesta, i littori, i fasci e la *sella curulis*.

[10] In realtà la fustigazione e la pena capitale erano già contemplate dalle XII Tavole, che però i latini (come si può leggere in Livio, III, 31, 8), facevano anch'esse derivare, erroneamente, dalla legislazione greca.

[11] Alla proposta di Cesare ribatterà subito dopo Cicerone: «Propone che i congiurati vengano distribuiti nei municipi: una misura, codesta, in sé e per sé ingiusta, qualora la si voglia imporre ai municipi, di difficile attuazione, qualora si voglia chiedere il loro assenso. [...] Aggiunge delle gravi sanzioni a carico dei municipi, nel caso che qualcuno li faccia evadere spezzando le loro catene; li sottopone a una sorveglianza tremenda da tutte le parti, come del resto merita il delitto di questi sciagurati; propone che a nessuno sia consentito di mitigare la pena dei condannati con un provvedimento votato dal Senato o dal popolo; perfino la speranza toglie loro l'unico conforto che nella sventura resti all'uomo. Propone inoltre la confisca dei beni: è solo la vita che lascia a questi criminali; ché, togliendogliela, avrebbe loro tolto contemporaneamente molti dolori morali e fisici e, in complesso, la punizione della loro scelleratezza» (*IV Catilinaria* 4, 8).

LII

[1] Dopo Cesare, secondo le altre fonti, non parlò subito Catone, ma intervennero Cicerone (pronunciando la *IV Catilinaria*) e Tiberio Nerone (proponendo una sospensiva). Silano, convinto dalle argomentazioni di Nerone, mutò parere e ritirò la proposta di condanna a morte. Prese poi la parola Lutazio Catulo; e solo a questo punto Catone. Può sorprendere il silenzio su Cicerone; ma la semplificazione, nel racconto dei fatti, è prima di tutto un'esigenza concettuale: opponendo Cesare a Catone, cioè la dialettica ambigua e calcolata del politico alla parola impetuosa e univoca del moralista, Sallustio voleva indicare due modi di essere, di pensare, di agire, come confermerà il capitolo LIV, con la σύγκρισις («confronto», «parallelo») fra i due protagonisti.

[2] Nato nel 96, noto per la severità dei costumi come il grande avo dal quale discendeva, di idee repubblicane e di pensiero rigorosamente stoico, avversario di Cesare, Catone era stato questore l'anno prima (64), e si apprestava al tribunato per l'anno 62. In Utica, assediata da Cesare, preferirà il suicidio alla tirannia (46). Resterà nei secoli come una figura di libertà e di moralità austera (dal *Bellum civile* di Lucano al *Purgatorio* di Dante).

[3] L'espressione «*huiusce modi*» indica, come già in L, 5 e in altri passi, che il discorso è stato rielaborato da Sallustio. Plutarco ricorda che era l'unico di Catone a essere sopravvissuto; Sallustio doveva dunque averlo letto e tenuto presente durante la composizione del *De coniuratione Catilinae*. Dell'orazione possediamo anche i riassunti di Plutarco nelle *Vite* di Catone Minore (XXIII) e Cicerone (XXI, 4); quello di Appiano nei libri delle sue

Guerre civili (II, 6). Dal confronto emerge la cura di Sallustio nell'abolire tutti i violenti attacchi rivolti da Catone a Cesare. Al pragmatismo politico, alle tortuosità programmatiche di Cesare, si contrappone la chiarezza morale e concettuale di Catone. Questo non significa che l'autore scelga Cesare contro Catone: entrambi lo affascinano per ragioni diverse; a entrambi (ma di più a Catone) vengono prestati molti dei suoi pensieri e delle sue osservazioni. Ciò che a Sallustio interessa è far emergere la *virtus* dei due personaggi, dimostrare come il disastro dei tempi fosse il risultato non di uno scontro politico o di una diversità di pensieri, ma di un'assenza di forza e di moralità (come verrà spiegato nella digressione etico-politica di LIII). La catastrofe di una civiltà non è il risultato di una pluralità di opinioni, ma di un vuoto di energie: politiche, morali, filosofiche. Secondo lo schema già indicato in L (vedi nota n. 5), l'orazione è divisa in proemio (2-6), narrazione (7-12), dimostrazione (13-35) e perorazione (36).

[4] L'attacco ricorda il *Terzo discorso per Olinto* di Demostene (III, 1): «Cose ben diverse mi accade di pensare, Ateniesi, quando considero, per un verso, la situazione reale e, per l'altro, i discorsi che sento fare. Giacché i discorsi vedo che riguardano come punire Filippo, mentre la situazione è giunta a un punto tale che sarebbe meglio consigliarci su come evitare di essere colpiti noi per primi».

[5] Ancora una memoria letteraria. Licurgo, *Contro Leocrate*, CXXVI: «per le altre colpe debbono essere stabilite pene repressive, per il tradimento e l'attentato contro il governo popolare, pene preventive. Se vi lascerete sfuggire il momento in cui questi sciagurati stanno per commettere qualche malvagità contro la patria, non vi sarà possibile far loro pagare la pena quando abbiano già commesso il delitto: essi ormai saranno troppo forti per temere la punizione da parte delle loro vittime». Sono memorie nobili, che ricordano al lettore l'appartenenza a un'unica civiltà, a una grande cultura, nel segno di un'esemplarità parenetica che deve illuminare l'uomo e la sua storia. Ma Sallustio è più rapido e sintetico; il suo stile sontuoso e lapidario fa di ogni pensiero un'immagine, di ogni enunciato un'apparizione.

[6] Che Catone avesse già fama di intransigenza morale, che già fosse noto per il rigore della vita, e che già si proponesse come coscienza morale di una città moralmente in disarmo, è testimoniato dalle pagine della *Pro Murena* di Cicerone (pronunciata pochi giorni prima); per la quale vedi anche nota n. 4 LIV). Ma Sallustio, a vent'anni di distanza, idealizza la sua immagine sovrapponendola a quella dell'avo. Le parole del giovane Catone riecheggiano infatti quelle pronunciate dal Censore contro l'abrogazione della *lex Oppia sumptuaria*, un episodio rimasto celebre nell'immaginario romano (Livio, *Ab urbe condita* XXXIV, 4, 1-2): «*Saepe me querentem de feminarum, saepe de virorum nec de privatorum modo sed etiam magistratuum sumptibus audistis, diversisque duobus vitiis, avaritia et luxuria, civitatem laborare*» («Spesso mi avete udito deplorare le spese delle donne, spesso quelle degli uomini, e non solo dei privati ma anche dei magistrati, e lamentare che la città è afflitta da due opposti vizi, l'avarizia e il lusso»). Più interessante ancora notare come la coppia «*luxuria atque avaritia*» fosse già stata usata da Sallustio (V, 8) per ritrarre la corruzione della città.

[7] Naturalmente Catone, stoico, credeva nell'immortalità dell'anima e nel-

l'esistenza di una mente divina che reggeva il mondo provvidenzialistica-mente. Plutarco racconta (*Catone* LXVIII) che Catone, prima di darsi la morte in Utica assediata dagli eserciti di Cesare, lesse il *Fedone*: per Platone l'oltretomba esiste; esiste il Tartaro, dove i malvagi vengono puniti, ed esi-stono i Campi Elisi, sede beata delle anime meritevoli. Il contrasto con Ce-sare non è solo politico: è anche culturale e religioso.

[8] L'espugnazione e il saccheggio di Roma del 390 a.c., le sconfitte subite recentemente (106-105 a.c.) a opera di Cimbri e Teutoni (che i Romani credevano Celti e non Germani) avevano creato il mito della *rabies* gallica. Ma vedi nota n. 4 LIII.

[9] L'episodio ricorre spesso nell'aneddotica latina: Tito Manlio Torquato, console romano, condanna a morte il figlio per aver voluto combattere, an-che se eroicamente e vittoriosamente, in contrasto con gli ordini impartiti. Due le sviste dell'autore: Manlio si chiamava Tito e non Aulo; l'episodio si svolse durante la guerra contro i Latini (340 a.C.) e non contro i Galli (361).

[10] Catone invoca una procedura eccezionale, come se i colpevoli fossero stati presi in flagrante. Erano invece solo rei confessi, e avevano perciò di-ritto, secondo l'ordinamento giuridico romano, alla *provocatio ad populum* (vedi nota n. 4 LI). Con l'espressione «*supplicium more maiorum*» Catone si riferisce forse a un procedimento antichissimo di cui parla anche Livio (*Ab urbe condita* I, 26, 6): il condannato, appeso a un albero infecondo, ve-niva frustato a morte.

LIII

[1] Come sempre Sallustio sintetizza, sorvolando sui particolari che giudica ininfluenti al racconto. Come sappiamo da Plutarco (*Cicerone* XXI), prima della votazione tornò di nuovo a parlare Cesare, lamentando che della sua proposta fosse stata accettata solo la parte più dura (confisca dei beni), ignorata quella più mite (carcere al posto della condanna a morte). Di fron-te al dissenso della maggioranza, Cesare richiese, ma inutilmente, il veto dei tribuni. Più tardi Cicerone, accogliendo la protesta, cassò l'ordine di confisca. Infine, a seduta conclusa, Cesare venne aggredito da alcuni cava-lieri: episodio che Sallustio, per disattenzione, aveva spostato a due giorni prima e raccontato in XLIX, 4 (vedi nota n. 5 XLIX).

[2] Catone aveva affermato, nella sua arringa, che la grandezza di Roma era il risultato della probità dei costumi (LII, 19-21). Sallustio, in questa breve digressione (seguito ideale di VI-XIII e XXXVI, 4-XXXIX, 4), espone le sue perplessità, giungendo a sostenere che solo la *virtus* di pochi uomini ec-cezionali ha reso potente lo Stato romano.

[3] Anche Virgilio riconoscerà, pochi anni dopo, il primato culturale della Grecia (*Eneide* VI, 847 e sgg.); non così Cicerone, secondo il quale, dai tempi dei Gracchi, erano sorti oratori tali da emulare l'eloquenza greca (*Tu-sculanae disputationes* I, 5). Lo stesso concetto verrà ribadito da Quintiliano nella sua *Institutio oratoria* (X, 1, 105): «Gli oratori, invece, sono in grado, più degli altri, di eguagliare l'eloquenza latina alla greca». Ma già in VIII, 2

Sallustio aveva proclamato la superiorità della storiografia greca su quella romana.

[4] Mentre Sallustio scrive, era ancora recente l'impressione del trionfo romano in Gallia a opera di Cesare (58-51 a.C.), che nel suo *De bello gallico* aveva opposto la *ratio* latina al coraggio impulsivo e irrazionale dei Galli. Livio (*Ab urbe condita* XXXVIII, 17) ci ha lasciato una testimonianza straordinaria sulla *rabies* gallica, sul loro furore bellico: un discorso tenuto nel 188 da Manlio ai soldati, poco prima di affrontare in battaglia i Galati (anch'essi, come dice il nome, di origine celtica): «Io non ho dimenticato, o soldati, che fra tutte le genti che abitano l'Asia i Galli si distinguono per la loro fama di guerrieri. Una gente bellicosa, dopo aver scorrazzato guerreggiando per quasi tutto il mondo, si è fermata in mezzo a una stirpe di genti pacifiche quanto mai. Alta statura, capelli lunghi e tinti in rosso, larghi scudi, spade lunghissime; aggiungete i canti con cui vanno alla battaglia, le grida e le danze scomposte, e il fragore pauroso delle armi quando agitano gli scudi secondo una loro usanza nazionale; tutte cose calcolate apposta per produrre spavento».

[5] Dopo i due grandi ritratti di Catilina (V) e Sempronia (XXV), i brevi abbozzi di Curio (XXIII, 1-2) e Cetego (XLIII, 3-4), Sallustio modella un doppio ritratto a confronto di Cesare e Catone. Entrambi, mentre Sallustio scrive, erano morti da poco: Catone stoicamente suicida (46), Cesare assassinato (44). Ed erano divenuti subito dei simboli: da una parte l'intellettuale epicureo, il geniale, ambizioso generale, l'assassino della *res publica* (che forse, però, era già morta da tempo); dall'altra lo stoico appassionato, il moralista ombroso, l'accusatore implacabile di ogni vizio, il difensore austero della *libertas* (sulle cui capacità politiche, tuttavia, Cicerone espresse ripetutamente le sue riserve). Di Catone veniva esaltata l'integrità morale; di Cesare la *munificentia*, la *misericordia*, la *clementia*, caratteri umani ma anche temi politici, già lodati da Cicerone in due tarde orazioni (*Pro Marcello* I; *Pro Ligario* XXXVII), e di cui si impadronirà presto la propaganda augustea. L'uso di Catone in funzione anticesariana era subito stato colto dallo stesso Cesare, che nel 45 aveva scritto due polemici *Anticatones* in risposta a un elogio di Catone composto l'anno precedente da Cicerone.

LIV

[1] Forzature sallustiane, determinate da un'esigenza di simmetria estetica e concettuale. Cesare apparteneva a una delle più prestigiose famiglie patrizie romane, la *gens Iulia*, discendente da Enea (e dunque dalla dea Venere, madre dell'eroe); Catone proveniva da una famiglia plebea, la *gens Porcia*, che si era resa illustre per la prima volta solo un secolo prima con il famoso Censore. Discutibile il parimerito oratorio: rari e modesti gli apprezzamenti dei contemporanei sull'eloquenza di Catone; generali ed entusiastici quelli su Cesare, a cominciare da Cicerone (*Brutus* XXXI, 118 e LXXII, 252-253). All'epoca della vicenda catilinaria, infine, Cesare aveva 38 anni, Catone cinque di meno.

[2] Allusione alla guerra gallica: «*bellum novom*» vale sia «guerra nuova»,

«mai prima intentata», sia «straordinaria», «eccezionale». Durante la sua lunga campagna, Cesare affrontò popoli che non si erano ancora misurati con la potenza romana (Britanni, Germani, gran parte delle tribù galliche).

[3] L'espressione è ricavata dai *Sette contro Tebe* (592) di Eschilo, ed è riferita all'indovino ed eroe Anfiarao: «Non vuole infatti sembrare ottimo, ma esserlo».

[4] Il giudizio politico su Catone lo diede già Cicerone, con la consueta acutezza, molti anni prima di Utica, in una lettera indirizzata ad Attico: «con rettissima intenzione e in piena buona fede, lavora a danno dello Stato: ragiona e parla come se vivesse nella Repubblica di Platone e non tra la feccia di Romolo» (*Lettere ad Attico* II, 1, 8). Un esempio di questa politica astratta e inopportuna Catone l'aveva data proprio nei giorni della congiura, accusando di broglio elettorale Lucio Murena (del suo stesso partito), e rischiando così di far subentrare al suo posto, come console designato, proprio lo stesso Catilina, da Murena battuto alle elezioni. Cicerone assunse la difesa di Murena con un'orazione che fu pronunciata fra la *II* e la *III Catilinaria* (cioè fra il 9 novembre e il 3 dicembre del 63), e nella quale tracciò un'ironica e puntuale critica dello stoicismo rigido ed eccessivo di Catone, ricordandogli, fra l'altro, che «per l'uomo buono è un dovere essere misericordioso; di colpe ci sono diverse categorie e quindi disuguali sono le pene; l'uomo coerente nei suoi principi è sensibile al perdono; perfino il saggio non di rado fa delle congetture su ciò che ignora; qualche volta si fa prendere dall'ira; inoltre si lascia vincere e placare dalle preghiere; talora, sempre che così sia meglio, rettifica una sua affermazione e capita pure che cambi opinione; tutte le virtù trovano il loro temperamento nel giusto mezzo» (*Pro Murena* XXX, 63). Non sembra che Catone ne sia mai stato toccato.

LV

[1] Per i *tresviri* o *triumviri capitales* vedi nota n. 10 XXX.

[2] Il carcere Mamertino si trovava ai piedi del Campidoglio; Livio (*Ab urbe condita* I, 33, 8) ne attribuisce la costruzione al re Anco Marzio. Al di sotto, in comunicazione con la parte superiore mediante un foro praticato nella volta, si trovava il Tulliano, dal nome del re Servio Tullio (secondo Varrone), più probabilmente (secondo Festo) da *tullus* o *tullius* (che nell'antico latino significava «polla d'acqua»). Si trattava dunque originariamente di una cisterna d'acqua, nella quale furono calati, in seguito, i condannati a morte. Nel Tulliano era stato rinchiuso e fatto morire di fame Giugurta; secondo la tradizione, qui saranno tenuti prigionieri i santi Pietro e Paolo all'epoca del principato di Nerone.

[3] Così finiscono i fatti in Roma, e l'azione si sposta, negli ultimi capitoli, in Etruria, dove si combatte la battaglia finale tra i catilinari e l'esercito della repubblica. Silenzio su quel che accade in città dopo l'esecuzione, di cui abbiamo invece il racconto splendido e scintillante di Plutarco: «Molti congiurati stazionavano ancora in gruppo nel Foro, ignari dell'uccisione dei compagni. Attendevano anzi la notte per strapparli dalle mani della giusti-

zia, e pensavano di poterlo fare, poiché li credevano ancora in vita. Ma Cicerone annunciò l'avvenuta esecuzione con un alto grido: "Vissero". I Romani, che vogliono evitare parole di cattivo augurio, usano quest'espressione per indicare la morte di una persona. Era ormai sera. Il console s'incamminò su verso casa passando per il Foro. I cittadini non lo accompagnavano più in silenzio e ordinatamente; dovunque passava lo accoglievano con grida e applausi, lo acclamavano salvatore e fondatore della patria. Un grande numero di luci rischiarava le vie; piccole fiaccole e torce erano poste a tutte le porte. Le donne esponevano lumi sui tetti per onorare il console e per vederlo mentre saliva verso casa, seguito da un corteo maestosissimo» (*Cicerone* XXII).

LVI

[1] Per Manlio vedi nota n. 2 XXIV.
[2] Mario aveva riformato l'esercito affidando a ogni console due legioni, composte ciascuna di circa cinque-seimila uomini, organizzati in dieci coorti. Catilina, inizialmente a corto di forze, ma deciso ad agire *fere consul*, organizza ugualmente due legioni, che solo più tardi, con l'arrivo di volontari e amici, raggiungono il numero regolare degli eserciti romani.
[3] Normalmente ogni legionario aveva in dotazione una *galea* (elmo), uno scudo (*scutum*, *parma* o *clipeus*, diversi a seconda dei reparti e del tipo di combattimento), delle *ocreae* (schinieri), una *lorica* (corazza), che costituivano le armi di difesa. Tra le armi di offesa: *pilum* (giavellotto o picca dalla punta ferrata), *gladius* (spada corta) e *hasta* (lancia). Ma Catilina, sprovvisto di armi regolari sufficienti, deve ricorrere ad armi di fortuna: lo *sparus* (o *sparum*) era una specie di spiedo o lanciotto usato dai contadini per la caccia; le *lanceae* erano delle picche munite di una correggia nel mezzo.
[4] Mentre Cicerone difendeva la città, l'altro console, Antonio, si era diretto contro l'esercito catilinario (com'era stato detto in XXXVI, 3).
[5] Catilina vuole rassicurare i suoi alleati italici e romani. Già durante la guerra sociale ventunmila schiavi erano stati affrancati per combattere contro i *socii*; di altri si era servito Silla pochi anni dopo, durante le terribili proscrizioni. Anche dopo la morte di Cesare i triumviri prometteranno la libertà a tutti quegli schiavi che avessero denunciato i proscritti. Gli schiavi, come i proletari urbani, erano insomma un potenziale di rivolta al servizio di generali e politici senza scrupoli: ma in questo momento il ricordo di Spartaco e della recentissima guerra servile rendeva più opportuno evitare alleanze così pericolose.

LVII

[1] Per Metello Celere vedi XXX, 5 e XLII, 3. Cicerone (*II Catilinaria* 12, 26) specifica che Metello si trovava a guardia non solo del Piceno ma anche dell'*ager gallicus*, cioè di quella fascia costiera tra Ravenna e Senigallia dove da tempo si erano stanziati i Galli Senoni.

² Metello si ferma ai piedi dell'Appennino pistoiese sul versante nord, dove la valle del Reno sbocca nei pressi di Bologna; Antonio si è invece appostato più a sud, lungo le pendici dell'Appennino toscano. Catilina si trova dunque nella morsa dei due eserciti, senza la possibilità di fuggire in Gallia, come aveva progettato, né di ricevere aiuti da Roma (come aveva sperato). Perché decide di affrontare l'esercito di Antonio e non quello di Metello? Forse per vendetta, dal momento che Antonio (vedi XXVI) era passato dalla parte di Cicerone all'ultimo momento, tradendo l'alleanza con Catilina; o forse proprio sperando che Antonio, amico fino a non molto tempo prima, gli avrebbe lasciato qualche possibilità di fuga o addirittura si sarebbe sottratto alla battaglia.

³ Ultimo discorso dell'opera, secondo di Catilina (vedi XX), anch'esso, come indica la formula «*huiusce modi*», rielaborato dall'autore. Dopo l'intervento, abile e ambiguo, di Cesare; dopo quello grave, passionale e impetuoso di Catone, seguono le parole livide e feroci di un uomo ormai braccato, che però non ha deposto l'antica fierezza. Nell'aula del Senato si era discusso di diritto, di leggi, di civiltà; qui, in un campo di battaglia, vengono sollecitati i più bassi istinti: rancori, odio, miserie, invidie. Naturalmente ci sono anche indicazioni politiche (l'allusione alla «*potentia paucorum*»), ma soverchiate da una ideologia dell'azione e della violenza che forse sono già una volgare religione dello spirito moderno: il benessere, esteso a nuove classi sociali, provoca la collera di chi non ce l'ha ancora fatta e di chi ha perduto gli antichi privilegi. Il discorso di Catilina, iniziato nel disprezzo (naturalmente retorizzato) della parola, si conclude su una scia di sangue: se dovete morire, lasciate al nemico una vittoria «*cruentam atque luctuosam*». Eppure le parole che Sallustio, poco prima, gli ha prestato, sono sorprendentemente affini a quelle nobili e solenni del proemio: il contrasto fra *virtus* e *fortuna*, tra anima e corpo; l'ammonizione a non lasciarsi «sgozzare» «*sicuti pecora*», proprio come in I, 1 l'autore aveva voluto orgogliosamente differenziarsi da coloro che vivono «*veluti pecora*». L'orazione prevede un proemio (1-3), una narrazione (4-10), una dimostrazione (11-17) e infine la perorazione finale (18-21). Inevitabile e fondamentale, anche nel ripetersi di parole-chiave, il confronto con XX.

LVIII

¹ Sallustio traveste il pensiero di Catilina con una sentenza dello storico greco Senofonte: «Non esiste parola così persuasiva, che basti da sola a rendere valoroso chi non lo è» (*Ciropedia* III, 3, 50).

² Cicerone, nella *III Catilinaria* (9, 22), attribuisce al favore divino le follie commesse da Lentulo, che aveva confidato i piani dell'intera congiura a gente straniera e sconosciuta.

³ Ancora una sentenza tratta dalla *Ciropedia* di Senofonte (III, 3, 45). Il passo ritornerà nel *Bellum Iugurthinum* (LXXXV, 50), durante il grande discorso di Mario in Senato.

LIX

[1] Cesare farà lo stesso in Gallia contro gli Elvezi, come ricaviamo da un passo del *De bello gallico* (I, 25, 1) che Sallustio qui imita: «*Caesar primo suo, deinde omnium ex conspectu remotis equis, ut aequato omnium periculo spem fugae tolleret, cohortatus suos proelium commisit*» («Cesare, fatto allontanare e mettere fuori vista prima il suo cavallo, poi quelli di tutti gli ufficiali, per rendere uguale per ognuno il pericolo e togliere la speranza della fuga, esortò i suoi uomini e attaccò battaglia»). Sul valore psicologico di questa mossa, anche Livio, in un episodio della guerra tra Romani e Sabini (*Ab urbe condita* III, 63, 8).

[2] L'aquila d'argento (solo con Traiano divenne d'oro) era da tempo l'insegna delle legioni romane. Come ci informa Cicerone, Catilina aveva innalzato nella sua casa romana un sacrario in onore dell'aquila appartenuta a Mario (*I Catilinaria* 9, 24; *II Catilinaria* 6, 13). L'aquila aveva dunque un preciso valore simbolico, ed esprimeva una continuità di ideali politici. Catilina se l'era portata con sé, partendo da Roma, per rafforzare nei suoi uomini un sentimento di unità e di appartenenza (vedi nota n. 2 XXXVI).

[3] I Cimbri erano una popolazione di stirpe germanica originaria del Baltico. Migrando verso sud, si erano spinti fino alle Alpi, sconfiggendo l'esercito romano a Orange (105 a.C.): furono poi battuti da Mario ai Campi Raudii presso Vercelli (101 a.C.).

[4] Secondo Dione Cassio (*Storia romana* XXXVII, 39, 4) l'attacco di gotta fu un pretesto per evitare lo scontro con Catilina, da tempo amico di Antonio.

[5] Dal sintetico ritratto di Sallustio, sempre attento a caratterizzare i protagonisti del suo racconto, emerge una figura esemplare di ufficiale della tarda repubblica. Petreio è un militare di carriera che ha ricoperto nell'esercito i gradi più alti: *tribunus militum* (comandante di legione), *praefectus equitum* (comandante della cavalleria), *legatus* (aiutante maggiore del generale), *praetor* (comandante supremo dell'esercito). Negli anni successivi seguirà le sorti di Pompeo, combattendo contro Cesare a Farsalo e in Africa. Morirà suicida dopo la battaglia di Tapso (46 a.C.), per non cadere prigioniero del vincitore.

LX

[1] La battaglia fu combattuta all'inizio del nuovo anno consolare, forse il 5 gennaio del 62. Imprecisato il luogo, nonostante le numerose ipotesi: forse presso Vaioni, all'incirca a tre chilometri da Pistoia, o a Campo di Zoro, tra il Reno e il torrente Maresca, sempre nel pistoiese. Rapido e fulminante, come sempre, il racconto: Sallustio si sposta ripetutamente da una parte all'altra degli schieramenti, moltiplicando drammaticamente i piani prospettici; al culmine della battaglia, concentra l'attenzione su Catilina, fino alla sua eroica morte: eroismo sinistro, di cui sentiamo ancora, nelle parole concise del narratore, il suono rabbioso e cupo. Data la conformazione del luogo, Petreio era stato costretto a sfondare il centro dei nemici; poi, dall'interno, a premere sulle ali. Che il suo scopo fosse quello di sbaragliare

fulmineamente gli avversari, appariva già dallo schieramento: in prima linea, dinanzi a tutti, gli uomini migliori (LIX, 5). Per questo la battaglia si svolge subito furibonda: normalmente, dopo l'attacco dei *ferentarii* (soldati armati alla leggera, disposti sulle ali dello schieramento), che dovevano scagliare frecce (e allora si chiamavano *sagittarii*) o sassi e palle di piombo mediante fionde (e in questo caso erano detti *funditores*), seguiva il lancio dei *pila* (aste di legno dalla punta di ferro affilatissima), e infine il combattimento corpo a corpo con le spade. Saltata, per l'impeto dell'attacco, la seconda fase, i soldati si scagliano subito uomo contro uomo. Di qui l'immensa carneficina, dipinta nell'ultimo quadro dell'opera (LXI).

[2] La coorte pretoria, formata di fanti e di cavalieri scelti, era un reparto speciale alle dipendenze del *dux*. In età imperiale diverrà, spesso con sinistri poteri, la guardia del corpo privata degli imperatori.

TRADUZIONI UTILIZZATE NELLE NOTE

Cesare, *La guerra gallica*, trad. di F. Brindesi, Milano 1974.

Cicerone, *I doveri*, a cura di A. Resta Barrile, Milano 1958.

Cicerone, *Le orazioni*, a cura di G. Bellardi, voll. I-IV, Torino 1975-1981.

Cicerone, *Lettere ad Attico*, vol. I, a cura di C. Vitali, Bologna 1960.

Cicerone, *Le Tusculane*, a cura di A. Di Virginio, Milano 1962.

Cicerone, *L'invenzione retorica*, a cura di A. Pacitti, Milano 1967.

Cicerone, *Opere politiche e filosofiche*, vol. I (*Lo Stato, Le leggi*), a cura di L. Ferrero e N. Zorzetti, Torino 1974.

Demostene, *Discorsi e lettere*, vol. I, a cura di L. Canfora, Torino 1974.

Eschilo, *Tragedie e frammenti*, a cura di G. e M. Morani, Torino 1987.

Euripide, *Fenicie - Supplici - Eracle - Eraclidi*, a cura di D. Ricci, Milano 1959.

Gellio, *Le notti attiche*, vol. II (libri IV-V), a cura di F. Cavazza, Bologna 1987.

Giovenale, *Satire*, a cura di P. Frassinetti e L. Di Salvo, Torino 1979.

Licurgo, *Orazione contro Leocrate e frammenti*, a cura di E. Malcovati, Roma 1966.

Livio, *Storie*, voll. I-II (a cura di L. Perelli), III (a cura di P. Ramondetti), IV (a cura di L. Fiore), V (a cura di P. Pecchiura), VI (a cura di A. Ronconi e B. Scardigli), Torino 1970-1989.

Ovidio, *Opere*, vol. I, a cura di A. Della Casa, Torino 1982.

Platone, *Opere complete*, voll. I-IX, trad. di M. Valgimigli (*Fedone*), P. Pucci (*Simposio*), F. Sartori (*Repubblica*), A. Maddalena (*Lettere*), voll. I-IX, Bari 1971.

Polibio, *Storie*, voll. I-III, trad. di F. Brindesi, Milano 1961.

Plutarco, *Vite parallele*, a cura di C. Carena, Torino 1958.

Quintiliano, *L'istituzione oratoria*, voll. I-II, a cura di R. Faranda e P. Pecchiura, Torino 1979.

Sallustio, *La guerra di Giugurta*, a cura di L. Storoni Mazzolani, Milano 1976.

Seneca, *Lettere a Lucilio*, a cura di G. Monti, Milano 1966.

Seneca, *Dialoghi*, voll. I-II, a cura di N. Sacerdoti, Milano 1971.

Senofonte, *Anabasi e Ciropedia*, a cura di C. Carena, Torino 1962.

Tacito, *Storie - Dialogo degli oratori - Germania - Agricola*, a cura di A. Arici, Torino 1970.

Tucidide, *La guerra del Peloponneso*, voll. I-II, a cura di E. Savino, Milano 1978.

Valerio Massimo, *Fatti e detti memorabili*, voll. I-II, a cura di L. Rusca, Milano 1972.

Virgilio, *Eneide*, a cura di R. Calzecchi Onesti, Torino 1967.

INDICE

OSCAR CLASSICI

Maupassant, Racconti fantastici

Baudelaire, I fiori del male

Austen, Orgoglio e pregiudizio

Goldoni, Il teatro comico - Memorie italiane

Verga, Mastro don Gesualdo

Verga, Tutte le novelle

Goffredo di Strasburgo, Tristano

Leopardi, Zibaldone di pensieri

Wilde, Il ritratto di Dorian Gray

Shakespeare, Macbeth

Goldoni, La locandiera

Calvino (a cura di), Racconti fantastici dell'Ottocento

Verga, I Malavoglia

Poe, Le avventure di Gordon Pym

Chrétien de Troyes, I Romanzi Cortesi

Carducci, Poesie scelte

Melville, Taipi

Manzoni, Storia della colonna infame

De Amicis, Cuore

Fogazzaro, Piccolo mondo moderno

Fogazzaro, Malombra

Maupassant, Una vita

Manzoni, Poesie

Dostoevskij, Il sosia

Petrarca, Canzoniere

Wilde, De profundis

Fogazzaro, Il Santo

Stevenson, Lo strano caso del dottor Jekyll e del signor Hyde

Alighieri, Vita Nuova e Rime

Poe, Racconti del terrore

Poe, Racconti del grottesco

Poe, Racconti di enigmi

Malory, Storia di Re Artù e dei suoi cavalieri

Alighieri, Inferno

Alighieri, Purgatorio

Alighieri, Paradiso

Flaubert, Salambò

Pellico, Le mie prigioni

Fogazzaro, Piccolo mondo antico

Verga, Eros

Melville, Moby Dick

Parini, Il giorno

Goldoni, Il campiello - Gl'innamorati

Gogol', Racconti di Pietroburgo

Foscolo, Ultime lettere di Jacopo Ortis

Chaucer, I racconti di Canterbury

Shakespeare, Coriolano

Hoffmann, L'uomo di sabbia e altri racconti

Wilde, Il fantasma di Canterville

Molière, Il tartufo - Il malato immaginario

Alfieri, Vita

Dostoevskij, L'adolescente

Dostoevskij, I demoni

Leopardi, Canti

Dostoevskij, Memorie dal sottosuolo

Manzoni, Tragedie

Foscolo, Sepolcri - Odi - Sonetti

Hugo, I miserabili

Balzac, La Commedia umana

Dostoevskij, Umiliati e offesi

Tolstòj, I Cosacchi

Conrad, Tifone

Voltaire, Candido

Leopardi, Operette morali

Alfieri, Tragedie

Polibio, Storie

Shakespeare, Amleto

Verga, Il marito di Elena

Capuana, Giacinta

Turgenev, Padri e figli

Tarchetti, Fosca

Erodoto, Storie

AA.VV., I romanzi della Tavola Rotonda

Dumas A. (figlio), La signora delle camelie

AA.VV., Racconti neri della Scapigliatura

Goethe, I dolori del giovane Werther

Boccaccio, Decameron

Shakespeare, Riccardo III

Stendhal, La Certosa di Parma

Laclos, Le amicizie pericolose

Tucidide, La guerra del Peloponneso

Verga, Tutto il teatro

Tolstòj, Anna Karenina

Tolstòj, Guerra e pace

Shakespeare, Re Lear

James H., Giro di vite

Dostoevskij, L'eterno marito

Manzoni, I promessi sposi

Flaubert, Tre racconti

Shakespeare, Misura per misura

Boccaccio, Caccia di Diana - Filostrato

Wilde, L'importanza di essere onesto

Alighieri, De vulgari eloquentia

Stendhal, Il Rosso e il Nero

Shakespeare, Enrico V

Polo, Il Milione

Swift, I viaggi di Gulliver

Stendhal, L'amore

Shakespeare, Romeo e Giulietta

Dickens, Racconti di Natale

Medici, Canzoniere

Racine, Fedra

AA.VV., Poeti del Dolce Stil Novo

Stendhal, Cronache italiane

Shakespeare, La tempesta

De Sanctis, Storia della letteratura italiana

Campanella, La città del sole e altri scritti

Kipling, Capitani coraggiosi

Machiavelli, La Mandragola - Belfagor - Lettere

Capuana, Il marchese di Roccaverdina

Dickens, Grandi speranze

Shakespeare, Giulio Cesare

Beaumarchais, La trilogia di Figaro

Verga, Storia di una capinera

Tolstòj, Resurrezione

Guinizzelli, Poesie

Castiglione, Il cortegiano

Shakespeare, La dodicesima notte

Ibsen, Casa di bambola

Beccaria, Dei delitti e delle pene

Sterne, Viaggio sentimentale

De Roberto, I Viceré

Shakespeare, Enrico IV

Vico, Princìpi di scienza nuova

Erasmo da Rotterdam, Elogio della follia

Shakespeare, Otello

Čechov, Teatro

Boccaccio, Teseida

Petrarca, De vita solitaria

Melville, Bartleby

Shakespeare, Come vi piace

Lutero, Lieder e prose

Grimmelshausen, L'avventuroso Simplicissimus

Marlowe, Il Dottor Faust

Balzac, La donna di trent'anni

Baudelaire, Lo spleen di Parigi

James H., Washington Square

Shakespeare, Il racconto d'inverno

Hardy, Tess doi d'Uberville

Wordsworth, Il preludio

Boccaccio, Esposizioni sopra la Comedia di Dante

Dostoevskij, Le notti bianche

Flaubert, L'educazione sentimentale

Schiller, I masnadieri

Shakespeare, Pene d'amor perdute

Goethe, La vocazione teatrale di Wilhelm Meister

Leopardi, Lettere

Pascoli, Il ritorno a San Mauro

Maupassant, Forte come la morte

AA.VV., Poesia latina medievale

Goldoni, I rusteghi - Sior Todero brontolon

Goldoni, Trilogia della villeggiatura

Goldoni, Le baruffe chiozzotte - Il ventaglio

Goldoni, Il servitore di due padroni - La vedova scaltra

Stevenson, Il signore di Ballantrae

Flaubert, Bouvard e Pécuchet

Eliot, Il mulino sulla Floss

Tolstòj, I racconti di Sebastopoli

De Marchi, Demetrio Pianelli

Della Casa, Galateo ovvero de' costumi

Dostoevskij, I fratelli Karamazov

Shakespeare, Sonetti

Dostoevskij, Povera gente

Shakespeare, Riccardo II

Diderot, I gioielli indiscreti

De Sade, Justine

Tolstoj, Chadži-Muràt

De Roberto, L'Imperio

Shakespeare, Tito Andronico

Stevenson, Nei mari del Sud

Maupassant, Pierre e Jean

Bruno, Il candelaio

Kipling, Kim

Donne, Liriche sacre e profane - Anatomia del mondo - Duello della morte

AA.VV., Il Corano

Rimbaud, Una stagione in inferno - Illuminazioni

Shakespeare, I due gentiluomini di Verona

Puškin, La figlia del capitano

Blake, Visioni

Nievo, Novelliere campagnuolo

James H., Il carteggio Aspern

Diderot, Jacques il fatalista

Schiller, Maria Stuart

Stifter, Pietre colorate

Poe, Il corvo e altre poesie

Coleridge, La ballata del vecchio marinaio

Sant'Agostino, Confessioni

Verlaine, Romanze senza parole

AA.VV., Racconti gotici

Yeats, Poesie

Whitman, Foglie d'erba

Teresa d'Ávila, Libro della mia vita

Boito, Senso e altri racconti

Pulci, Morgante

AA.VV., Innario cistercense

Las Casas, Brevissima relazione della distruzione delle Indie

Lèrmontov, Un eroe del nostro tempo

AA.VV., I Salmi

Paolo Diacono, Storia dei Longobardi

Shakespeare, Antonio e Cleopatra

Shelley M., Frankenstein (con videocassetta)

Zola, Nanà

Foscolo, Le Grazie

Hugo, Novantatré

Goethe, Racconti

Eliot, Middlemarch

Kipling, Ballate delle baracche

Čechov, La steppa e altri racconti

James H., L'Americano

Lewis M.G., Il Monaco

Bruno, La cena de le ceneri

Shelley P.B., Poesie

Ambrogio, Inni

Origene, La preghiera

Melville, Poesie di guerra e di mare

Ibsen, Spettri

Manzoni, I promessi sposi

Rostand, Cirano di Bergerac

Cervantes, Novelle esemplari

Shakespeare, Molto rumore per nulla

Čechov, Il duello

Stevenson, Gli intrattenimenti delle notti sull'isola

Čechov, La corsia n. 6 e altri racconti

Puškin, Viaggio d'inverno e altre poesie

Carroll, Le avventure di Alice nel Paese delle Meraviglie - Attraverso lo specchio

AA.VV., Fiabe friulane

AA.VV., Fiabe piemontesi

Agrati - Magini (a cura di), Saghe e leggende celtiche

AA.VV., Fiabe pugliesi

Capuana, Tutte le fiabe

AA.VV., Fiabe campane

AA.VV., Fiabe toscane

AA.VV., Fiabe di Roma e del Lazio

AA.VV., Fiabe romagnole e emiliane

Bozza (a cura di), Antiche fiabe cinesi

AA.VV., Fiabe venete

Kipling, Racconti dell'India, della vendetta, della memoria

AA.VV., Romanzi erotici del '700 francese

Gatto Trocchi (a cura di), Le fiabe più belle del mondo

Lovecraft, Tutti i racconti. 1897-1922

Chiara, Il meglio dei racconti di Piero Chiara

Roncoroni (a cura di), Il libro degli aforismi

Lovecraft, Tutti i racconti. 1923-1926

Agrati - Magini (a cura di), Miti e saghe vichinghi

AA.VV., Racconti d'amore del '900

AA.VV., Fiabe siciliane

AA.VV., Fiabe sarde

Lovecraft, Tutti i racconti. 1927-1930

AA.VV., Fiabe celtiche

AA.VV., Fiabe ebraiche

AA.VV., Fiabe africane

AA.VV., Fiabe bretoni

AA.VV., Fiabe irlandesi

AA.VV., Fiabe persiane

AA.VV., Fiabe francesi

AA.VV., Fiabe turche

Castelli, I mondi perduti di Martin Mystère

Lovecraft, Tutti i racconti. 1931-1936

AA.VV., Fiabe giapponesi